CHINESE NAMES, SURNAM
LOCATIONS & ADDRESSES

中国大陆地址集

ANHUI PROVINCE - PART 8

安徽省

ZIYUE TANG

汤子玥

ACKNOWLEDGEMENT

I am deeply indebted to my friends and family members to support me throughout my life. Without their invaluable love and guidance, this work wouldn’t have been possible.

Thank you

Ziyue Tang

汤子玥

PREFACE

The book introduces foreigner students to the Chinese names along with locations and addresses from the **Anhui** Province of China (中国安徽省). The book contains 150 entries (names, addresses) explained with simplified Chinese characters, pinyin and English.

Chinese names follow the standard convention where the given name is written after the surname. For example, in 王威 (Wang Wei), Wang is the surname, and Wei is the given name. Further, the surnames are generally made of one (王) or two characters (司马). Similarly, the given names are also made of either one or two characters. For example, 司马威 (Sima Wei) is a three character Chinese name suitable for men. 司马威威 is a four character Chinese name.

Chinese addresses are comprised of different administrative units that start with the largest geographic entity (country) and continue to the smallest entity (county, building names, room number). For example, a typical address in Nanjing city (capital of Jiangsu province) would look like 江苏省南京市清华路 28 栋 520 室 (Jiāngsū shěng nánjīng shì qīnghuá lù 28 dòng 520 shì; Room 520, Building 28, Qinghua Road, Nanjing City, Jiangsu Province).

CONTENTS

CHAPTER 1: NAME, SURNAME & ADDRESSES (1-30)

1051。姓名: 阮宝尚

住址（医院）：安徽省黄山市徽州区石光路 908 号翰亮医院（邮政编码：292478）。联系电话：67938341。电子邮箱：hzpba@rxzemhib.health.cn

Zhù zhǐ: Ruǎn Bǎo Shàng Ānhuī Shěng Huángshān Shì Huīzhōu Qū Shí Guāng Lù 908 Hào Hàn Liàng Yī Yuàn (Yóuzhèng Biānmǎ：292478). Liánxì Diànhuà：67938341. Diànzǐ Yóuxiāng：hzpba@rxzemhib.health.cn

Bao Shang Ruan, Han Liang Hospital, 908 Shi Guang Road, Huizhou District, Huangshan, Anhui. Postal Code: 292478. Phone Number：67938341. E-mail：hzpba@rxzemhib.health.cn

1052。姓名: 弘甫钢

住址（广场）：安徽省阜阳市颍泉区超俊路 547 号恩郁广场（邮政编码：655130）。联系电话：43920707。电子邮箱：itkwy@zprwvnbs.squares.cn

Zhù zhǐ: Hóng Fǔ Gāng Ānhuī Shěng Fùyáng Shì Yǐng Quán Qū Chāo Jùn Lù 547 Hào Ēn Yù Guǎng Chǎng (Yóuzhèng Biānmǎ：655130). Liánxì Diànhuà：43920707. Diànzǐ Yóuxiāng：itkwy@zprwvnbs.squares.cn

Fu Gang Hong, En Yu Square, 547 Chao Jun Road, Yingquan District, Fuyang, Anhui. Postal Code: 655130. Phone Number：43920707. E-mail：itkwy@zprwvnbs.squares.cn

1053。姓名: 周振可

住址（公共汽车站）：安徽省淮北市濉溪县友恩路 444 号化隆站（邮政编码：598823）。联系电话：52065051。电子邮箱：ijmbp@zvblrdnh.transport.cn

Zhù zhǐ: Zhōu Zhèn Kě Ānhuī Shěng Huáiběi Shì Suīxī Xiàn Yǒu Ēn Lù 444 Hào Huà Lóng Zhàn (Yóuzhèng Biānmǎ：598823). Liánxì Diànhuà：52065051. Diànzǐ Yóuxiāng：ijmbp@zvblrdnh.transport.cn

Zhen Ke Zhou, Hua Long Bus Station, 444 You En Road, Suixi County, Huaibei, Anhui. Postal Code: 598823. Phone Number：52065051. E-mail：ijmbp@zvblrdnh.transport.cn

1054。姓名: 张盛人

住址（酒店）：安徽省阜阳市太和县星磊路 838 号德科酒店（邮政编码：772257）。联系电话：76300991。电子邮箱：riaxn@nxsbrjcu.biz.cn

Zhù zhǐ: Zhāng Chéng Rén Ānhuī Shěng Fùyáng Shì Tài Hé Xiàn Xīng Lěi Lù 838 Hào Dé Kē Jiǔ Diàn (Yóuzhèng Biānmǎ：772257). Liánxì Diànhuà：76300991. Diànzǐ Yóuxiāng：riaxn@nxsbrjcu.biz.cn

Cheng Ren Zhang, De Ke Hotel, 838 Xing Lei Road, Taihe County, Fuyang, Anhui. Postal Code: 772257. Phone Number：76300991. E-mail：riaxn@nxsbrjcu.biz.cn

1055。姓名: 席振陶

住址（湖泊）：安徽省池州市石台县亚敬路 465 号强尚湖（邮政编码：417720）。联系电话：37563860。电子邮箱：slger@jxwdbaiz.lakes.cn

Zhù zhǐ: Xí Zhèn Táo Ānhuī Shěng Chízhōu Shì Shí Tái Xiàn Yà Jìng Lù 465 Hào Qiáng Shàng Hú (Yóuzhèng Biānmǎ：417720). Liánxì Diànhuà：37563860. Diànzǐ Yóuxiāng：slger@jxwdbaiz.lakes.cn

Zhen Tao Xi, Qiang Shang Lake, 465 Ya Jing Road, Shitai County, Chizhou, Anhui. Postal Code: 417720. Phone Number：37563860. E-mail：slger@jxwdbaiz.lakes.cn

1056。姓名: 亢锤源

住址（公司）：安徽省滁州市南谯区柱盛路 653 号稼智有限公司（邮政编码：730055）。联系电话：76990750。电子邮箱：slovf@jlswueba.biz.cn

Zhù zhǐ: Kàng Chuí Yuán Ānhuī Shěng Chúzhōu Shì Nán Qiáo Qū Zhù Chéng Lù 653 Hào Jià Zhì Yǒuxiàn Gōngsī (Yóuzhèng Biānmǎ： 730055). Liánxì Diànhuà： 76990750. Diànzǐ Yóuxiāng： slovf@jlswueba.biz.cn

Chui Yuan Kang, Jia Zhi Corporation, 653 Zhu Cheng Road, Nanqiao District, Chuzhou, Anhui. Postal Code: 730055. Phone Number： 76990750. E-mail： slovf@jlswueba.biz.cn

1057。姓名: 甘绅尚

住址（广场）：安徽省亳州市利辛县乙乐路 251 号译国广场（邮政编码：112149）。联系电话：78697926。电子邮箱：nzoic@iczkofpl.squares.cn

Zhù zhǐ: Gān Shēn Shàng Ānhuī Shěng Bózhōu Lì Xīn Xiàn Yǐ Lè Lù 251 Hào Yì Guó Guǎng Chǎng (Yóuzhèng Biānmǎ： 112149). Liánxì Diànhuà： 78697926. Diànzǐ Yóuxiāng： nzoic@iczkofpl.squares.cn

Shen Shang Gan, Yi Guo Square, 251 Yi Le Road, Lixin County, Bozhou, Anhui. Postal Code: 112149. Phone Number： 78697926. E-mail： nzoic@iczkofpl.squares.cn

1058。姓名: 汝嘉发

住址（医院）：安徽省淮南市潘集区振晗路 933 号豹陆医院（邮政编码：468985）。联系电话：23087332。电子邮箱：maoig@qmasvkgc.health.cn

Zhù zhǐ: Rǔ Jiā Fā Ānhuī Shěng Huáinán Shì Pānjí Qū Zhèn Hán Lù 933 Hào Bào Lù Yī Yuàn (Yóuzhèng Biānmǎ： 468985). Liánxì Diànhuà： 23087332. Diànzǐ Yóuxiāng： maoig@qmasvkgc.health.cn

Jia Fa Ru, Bao Lu Hospital, 933 Zhen Han Road, Panji District, Huainan, Anhui. Postal Code: 468985. Phone Number： 23087332. E-mail： maoig@qmasvkgc.health.cn

1059。姓名: 华继勇

住址（寺庙）：安徽省六安市霍山县领铁路 374 号乐威寺（邮政编码：779246）。联系电话：95582249。电子邮箱：ujpcg@jgtdrwvm.god.cn

Zhù zhǐ: Huà Jì Yǒng Ānhuī Shěng Liù Ān Shì Huòshānxiàn Lǐng Tiě Lù 374 Hào Lè Wēi Sì (Yóuzhèng Biānmǎ：779246). Liánxì Diànhuà：95582249. Diànzǐ Yóuxiāng：ujpcg@jgtdrwvm.god.cn

Ji Yong Hua, Le Wei Temple, 374 Ling Tie Road, Huoshan County, Luan, Anhui. Postal Code: 779246. Phone Number：95582249. E-mail：ujpcg@jgtdrwvm.god.cn

1060。姓名: 浦豪来

住址（公共汽车站）：安徽省池州市贵池区坚跃路 919 号钢兆站（邮政编码：873449）。联系电话：24660832。电子邮箱：bomxr@ifyaqsme.transport.cn

Zhù zhǐ: Pǔ Háo Lái Ānhuī Shěng Chízhōu Shì Guì Chí Qū Jiān Yuè Lù 919 Hào Gāng Zhào Zhàn (Yóuzhèng Biānmǎ：873449). Liánxì Diànhuà：24660832. Diànzǐ Yóuxiāng：bomxr@ifyaqsme.transport.cn

Hao Lai Pu, Gang Zhao Bus Station, 919 Jian Yue Road, Guichi District, Chizhou, Anhui. Postal Code: 873449. Phone Number：24660832. E-mail：bomxr@ifyaqsme.transport.cn

1061。姓名: 谢原振

住址（公共汽车站）：安徽省宿州市萧县冕庆路 473 号员晗站（邮政编码：918130）。联系电话：89467293。电子邮箱：xdeur@yeboaldi.transport.cn

Zhù zhǐ: Xiè Yuán Zhèn Ānhuī Shěng Sùzhōu Shì Xiāo Xiàn Miǎn Qìng Lù 473 Hào Yuán Hán Zhàn (Yóuzhèng Biānmǎ：918130). Liánxì Diànhuà：89467293. Diànzǐ Yóuxiāng：xdeur@yeboaldi.transport.cn

Yuan Zhen Xie, Yuan Han Bus Station, 473 Mian Qing Road, Xiao County, Suzhou, Anhui. Postal Code: 918130. Phone Number：89467293. E-mail：xdeur@yeboaldi.transport.cn

1062。姓名: 於九仲

住址（医院）：安徽省安庆市潜山市山仲路 282 号锤谢医院（邮政编码：187117）。联系电话：63161156。电子邮箱：pcfri@btdphynq.health.cn

Zhù zhǐ: Yū Jiǔ Zhòng Ānhuī Shěng Ānqìng Shì Qián Shān Shì Shān Zhòng Lù 282 Hào Chuí Xiè Yī Yuàn (Yóuzhèng Biānmǎ：187117). Liánxì Diànhuà：63161156. Diànzǐ Yóuxiāng：pcfri@btdphynq.health.cn

Jiu Zhong Yu, Chui Xie Hospital, 282 Shan Zhong Road, Qianshan City, Anqing, Anhui. Postal Code: 187117. Phone Number：63161156. E-mail：pcfri@btdphynq.health.cn

1063。姓名: 司马化翼

住址（湖泊）：安徽省淮北市相山区民晗路 854 号葛泽湖（邮政编码：113579）。联系电话：31431282。电子邮箱：lvhbu@fhpjvlak.lakes.cn

Zhù zhǐ: Sīmǎ Huà Yì Ānhuī Shěng Huáiběi Shì Xiāng Shānqū Mín Hán Lù 854 Hào Gé Zé Hú (Yóuzhèng Biānmǎ：113579). Liánxì Diànhuà：31431282. Diànzǐ Yóuxiāng：lvhbu@fhpjvlak.lakes.cn

Hua Yi Sima, Ge Ze Lake, 854 Min Han Road, Xiangshan District, Huaibei, Anhui. Postal Code: 113579. Phone Number：31431282. E-mail：lvhbu@fhpjvlak.lakes.cn

1064。姓名: 路翼食

住址（大学）：安徽省安庆市迎江区秀石大学征际路 358 号（邮政编码：245064）。联系电话：97674991。电子邮箱：xfopq@ieygmsrw.edu.cn

Zhù zhǐ: Lù Yì Sì Ānhuī Shěng Ānqìng Shì Yíng Jiāng Qū Xiù Shí DàxuéZhēng Jì Lù 358 Hào (Yóuzhèng Biānmǎ：245064). Liánxì Diànhuà：97674991. Diànzǐ Yóuxiāng：xfopq@ieygmsrw.edu.cn

Yi Si Lu, Xiu Shi University, 358 Zheng Ji Road, Yingjiang District, Anqing, Anhui. Postal Code: 245064. Phone Number：97674991. E-mail：xfopq@ieygmsrw.edu.cn

1065。姓名: 霍钦自

住址（公园）：安徽省六安市金寨县波辙路 559 号陆员公园（邮政编码：780301）。联系电话：64803498。电子邮箱：svwtb@qjbayfgs.parks.cn

Zhù zhǐ: Huò Qīn Zì Ānhuī Shěng Liù Ān Shì Jīn Zhài Xiàn Bō Zhé Lù 559 Hào Liù Yún Gōng Yuán (Yóuzhèng Biānmǎ：780301). Liánxì Diànhuà：64803498. Diànzǐ Yóuxiāng：svwtb@qjbayfgs.parks.cn

Qin Zi Huo, Liu Yun Park, 559 Bo Zhe Road, Jinzhai County, Luan, Anhui. Postal Code: 780301. Phone Number：64803498. E-mail：svwtb@qjbayfgs.parks.cn

1066。姓名: 唐铁庆

住址（酒店）：安徽省滁州市凤阳县石翼路 769 号鸣葛酒店（邮政编码：211384）。联系电话：21950978。电子邮箱：mqdpi@nloqtmgh.biz.cn

Zhù zhǐ: Táng Tiě Qìng Ānhuī Shěng Chúzhōu Shì Fèng Yáng Xiàn Dàn Yì Lù 769 Hào Míng Gé Jiǔ Diàn (Yóuzhèng Biānmǎ：211384). Liánxì Diànhuà：21950978. Diànzǐ Yóuxiāng：mqdpi@nloqtmgh.biz.cn

Tie Qing Tang, Ming Ge Hotel, 769 Dan Yi Road, Fengyang County, Chuzhou, Anhui. Postal Code: 211384. Phone Number：21950978. E-mail：mqdpi@nloqtmgh.biz.cn

1067。姓名: 杨熔红

住址（博物院）：安徽省宣城市泾县征智路 928 号宣城博物馆（邮政编码：715821）。联系电话：16511451。电子邮箱：jfpbo@dsrhgtnk.museums.cn

Zhù zhǐ: Yáng Róng Hóng Ānhuī Shěng Xuān Chéngshì Jīng Xiàn Zhēng Zhì Lù 928 Hào Xuān Céngs Bó Wù Guǎn (Yóuzhèng Biānmǎ：715821). Liánxì Diànhuà：16511451. Diànzǐ Yóuxiāng：jfpbo@dsrhgtnk.museums.cn

Rong Hong Yang, Xuancheng Museum, 928 Zheng Zhi Road, Jing County, Xuancheng, Anhui. Postal Code: 715821. Phone Number：16511451. E-mail：jfpbo@dsrhgtnk.museums.cn

1068。姓名: 文居茂

住址（博物院）：安徽省亳州市谯城区铭钊路 578 号亳州博物馆（邮政编码：804486）。联系电话：12266699。电子邮箱：spuco@cfkjwgbo.museums.cn

Zhù zhǐ: Wén Jū Mào Ānhuī Shěng Bózhōu Qiáo Chéngqū Míng Zhāo Lù 578 Hào Bózōu Bó Wù Guǎn (Yóuzhèng Biānmǎ：804486). Liánxì Diànhuà：12266699. Diànzǐ Yóuxiāng：spuco@cfkjwgbo.museums.cn

Ju Mao Wen, Bozhou Museum, 578 Ming Zhao Road, Qiaocheng District, Bozhou, Anhui. Postal Code: 804486. Phone Number：12266699. E-mail：spuco@cfkjwgbo.museums.cn

1069。姓名: 岳郁跃

住址（酒店）：安徽省宿州市灵璧县淹食路 802 号大盛酒店（邮政编码：576684）。联系电话：22226402。电子邮箱：ihkal@haifyrwe.biz.cn

Zhù zhǐ: Yuè Yù Yuè Ānhuī Shěng Sùzhōu Shì Líng Bì Xiàn Yān Sì Lù 802 Hào Dà Shèng Jiǔ Diàn (Yóuzhèng Biānmǎ：576684). Liánxì Diànhuà：22226402. Diànzǐ Yóuxiāng：ihkal@haifyrwe.biz.cn

Yu Yue Yue, Da Sheng Hotel, 802 Yan Si Road, Lingbi County, Suzhou, Anhui. Postal Code: 576684. Phone Number：22226402. E-mail：ihkal@haifyrwe.biz.cn

1070。姓名: 雍涛伦

住址（寺庙）：安徽省六安市金安区王大路 607 号钦秀寺（邮政编码：916617）。联系电话：25059689。电子邮箱：hqwon@dxhlfuwi.god.cn

Zhù zhǐ: Yōng Tāo Lún Ānhuī Shěng Liù Ān Shì Jīn Ān Qū Wàng Dà Lù 607 Hào Qīn Xiù Sì (Yóuzhèng Biānmǎ：916617). Liánxì Diànhuà：25059689. Diànzǐ Yóuxiāng：hqwon@dxhlfuwi.god.cn

Tao Lun Yong, Qin Xiu Temple, 607 Wang Da Road, Jinan District, Luan, Anhui. Postal Code: 916617. Phone Number：25059689. E-mail：hqwon@dxhlfuwi.god.cn

1071。姓名: 林食中

住址（寺庙）：安徽省马鞍山市雨山区亮强路 758 号启红寺（邮政编码：559156）。联系电话：23600935。电子邮箱：tajcd@jrbhztlm.god.cn

Zhù zhǐ: Lín Yì Zhōng Ānhuī Shěng Mǎānshān Shì Yǔ Shānqū Liàng Qiáng Lù 758 Hào Qǐ Hóng Sì (Yóuzhèng Biānmǎ：559156). Liánxì Diànhuà：23600935. Diànzǐ Yóuxiāng：tajcd@jrbhztlm.god.cn

Yi Zhong Lin, Qi Hong Temple, 758 Liang Qiang Road, Rainy Mountain Area, Maanshan, Anhui. Postal Code: 559156. Phone Number：23600935. E-mail：tajcd@jrbhztlm.god.cn

1072。姓名: 狄沛土

住址（家庭）：安徽省宿州市萧县禹光路 425 号化金公寓 19 层 948 室（邮政编码：735027）。联系电话：50516785。电子邮箱：dkfqr@djuwgqoh.cn

Zhù zhǐ: Dí Bèi Tǔ Ānhuī Shěng Sùzhōu Shì Xiāo Xiàn Yǔ Guāng Lù 425 Hào Huà Jīn Gōng Yù 19 Céng 948 Shì (Yóuzhèng Biānmǎ：735027). Liánxì Diànhuà：50516785. Diànzǐ Yóuxiāng：dkfqr@djuwgqoh.cn

Bei Tu Di, Room# 948, Floor# 19, Hua Jin Apartment, 425 Yu Guang Road, Xiao County, Suzhou, Anhui. Postal Code: 735027. Phone Number：50516785. E-mail：dkfqr@djuwgqoh.cn

1073。姓名: 索愈继

住址（博物院）：安徽省安庆市迎江区葛骥路 768 号安庆博物馆（邮政编码：369062）。联系电话：48802672。电子邮箱：sgtro@xivtabpy.museums.cn

Zhù zhǐ: Suǒ Yù Jì Ānhuī Shěng Ānqìng Shì Yíng Jiāng Qū Gé Jì Lù 768 Hào Ānqng Bó Wù Guǎn (Yóuzhèng Biānmǎ：369062). Liánxì Diànhuà：48802672. Diànzǐ Yóuxiāng：sgtro@xivtabpy.museums.cn

Yu Ji Suo, Anqing Museum, 768 Ge Ji Road, Yingjiang District, Anqing, Anhui. Postal Code: 369062. Phone Number：48802672. E-mail：sgtro@xivtabpy.museums.cn

1074。姓名: 雷智绅

住址（广场）：安徽省蚌埠市淮上区禹珂路 361 号龙继广场（邮政编码：725176）。联系电话：80291534。电子邮箱：jlprx@paocxlzg.squares.cn

Zhù zhǐ: Léi Zhì Shēn Ānhuī Shěng Bàngbù Shì Huái Shàng Qū Yǔ Kē Lù 361 Hào Lóng Jì Guǎng Chǎng (Yóuzhèng Biānmǎ：725176). Liánxì Diànhuà：80291534. Diànzǐ Yóuxiāng：jlprx@paocxlzg.squares.cn

Zhi Shen Lei, Long Ji Square, 361 Yu Ke Road, Huaishang District, Bengbu, Anhui. Postal Code: 725176. Phone Number：80291534. E-mail：jlprx@paocxlzg.squares.cn

1075。姓名: 都强铁

住址（广场）：安徽省池州市青阳县风泽路 120 号发维广场（邮政编码：478668）。联系电话：65854703。电子邮箱：zyhsk@thxcnysv.squares.cn

Zhù zhǐ: Dū Qiǎng Fū Ānhuī Shěng Chízhōu Shì Qīng Yáng Xiàn Fēng Zé Lù 120 Hào Fā Wéi Guǎng Chǎng (Yóuzhèng Biānmǎ：478668). Liánxì Diànhuà：65854703. Diànzǐ Yóuxiāng：zyhsk@thxcnysv.squares.cn

Qiang Fu Du, Fa Wei Square, 120 Feng Ze Road, Qingyang County, Chizhou, Anhui. Postal Code: 478668. Phone Number：65854703. E-mail：zyhsk@thxcnysv.squares.cn

1076。姓名: 焦可铭

住址（公共汽车站）：安徽省合肥市包河区盛成路 287 号恩俊站（邮政编码：511066）。联系电话：40025191。电子邮箱：nzrud@pkzdeoiu.transport.cn

Zhù zhǐ: Jiāo Kě Míng Ānhuī Shěng Héféi Shì Bāo Hé Qū Shèng Chéng Lù 287 Hào Ēn Jùn Zhàn (Yóuzhèng Biānmǎ：511066). Liánxì Diànhuà：40025191. Diànzǐ Yóuxiāng：nzrud@pkzdeoiu.transport.cn

Ke Ming Jiao, En Jun Bus Station, 287 Sheng Cheng Road, Baohe District, Hefei, Anhui. Postal Code: 511066. Phone Number：40025191. E-mail：nzrud@pkzdeoiu.transport.cn

1077。姓名: 游食食

住址（湖泊）：安徽省芜湖市鸠江区跃科路 530 号中智湖（邮政编码：909147）。联系电话：72135079。电子邮箱：snicp@glaxkijq.lakes.cn

Zhù zhǐ: Yóu Shí Yì Ānhuī Shěng Wúhú Shì Jiū Jiāng Qū Yuè Kē Lù 530 Hào Zhōng Zhì Hú (Yóuzhèng Biānmǎ：909147). Liánxì Diànhuà：72135079. Diànzǐ Yóuxiāng：snicp@glaxkijq.lakes.cn

Shi Yi You, Zhong Zhi Lake, 530 Yue Ke Road, Jiujiang District, Wuhu, Anhui. Postal Code: 909147. Phone Number：72135079. E-mail：snicp@glaxkijq.lakes.cn

1078。姓名: 扈懂友

住址（公园）：安徽省滁州市全椒县科星路 484 号胜隆公园（邮政编码：568137）。联系电话：59544136。电子邮箱：trouc@laewkszb.parks.cn

Zhù zhǐ: Hù Dǒng Yǒu Ānhuī Shěng Chúzhōu Shì Quán Jiāo Xiàn Kē Xīng Lù 484 Hào Shēng Lóng Gōng Yuán (Yóuzhèng Biānmǎ：568137). Liánxì Diànhuà：59544136. Diànzǐ Yóuxiāng：trouc@laewkszb.parks.cn

Dong You Hu, Sheng Long Park, 484 Ke Xing Road, Quanjiao County, Chuzhou, Anhui. Postal Code: 568137. Phone Number：59544136. E-mail：trouc@laewkszb.parks.cn

1079。姓名: 勾岐尚

住址（机场）：安徽省芜湖市无为市陆大路 624 号芜湖国译国际机场（邮政编码：867335）。联系电话：57265287。电子邮箱：roayx@unzrhxab.airports.cn

Zhù zhǐ: Gōu Qí Shàng Ānhuī Shěng Wúhú Shì Wúwéi Shì Lù Dà Lù 624 Hào Wúú Guó Yì Guó Jì Jī Chǎng (Yóuzhèng Biānmǎ：867335). Liánxì Diànhuà：57265287. Diànzǐ Yóuxiāng：roayx@unzrhxab.airports.cn

Qi Shang Gou, Wuhu Guo Yi International Airport, 624 Lu Da Road, Wuwei City, Wuhu, Anhui. Postal Code: 867335. Phone Number：57265287. E-mail：roayx@unzrhxab.airports.cn

1080。姓名: 弓隆福

住址（大学）：安徽省阜阳市颍泉区熔乙大学盛焯路 235 号（邮政编码：770382）。联系电话：55855191。电子邮箱：bydfj@wfeptmko.edu.cn

Zhù zhǐ: Gōng Lóng Fú Ānhuī Shěng Fùyáng Shì Yǐng Quán Qū Róng Yǐ DàxuéShèng Zhuō Lù 235 Hào (Yóuzhèng Biānmǎ：770382). Liánxì Diànhuà：55855191. Diànzǐ Yóuxiāng：bydfj@wfeptmko.edu.cn

Long Fu Gong, Rong Yi University, 235 Sheng Zhuo Road, Yingquan District, Fuyang, Anhui. Postal Code: 770382. Phone Number：55855191. E-mail：bydfj@wfeptmko.edu.cn

CHAPTER 2: NAME, SURNAME & ADDRESSES (31-60)

1081。姓名: 雷葛庆

住址（公园）：安徽省宿州市灵璧县涛愈路 816 号亮龙公园（邮政编码：554150）。联系电话：39537536。电子邮箱：prktv@toqknpyd.parks.cn

Zhù zhǐ: Léi Gé Qìng Ānhuī Shěng Sùzhōu Shì Líng Bì Xiàn Tāo Yù Lù 816 Hào Liàng Lóng Gōng Yuán (Yóuzhèng Biānmǎ：554150). Liánxì Diànhuà：39537536. Diànzǐ Yóuxiāng：prktv@toqknpyd.parks.cn

Ge Qing Lei, Liang Long Park, 816 Tao Yu Road, Lingbi County, Suzhou, Anhui. Postal Code: 554150. Phone Number：39537536. E-mail：prktv@toqknpyd.parks.cn

1082。姓名: 越强宝

住址（机场）：安徽省淮南市田家庵区宝游路 727 号淮南铭桥国际机场（邮政编码：635796）。联系电话：85057602。电子邮箱：cgusr@pyvbjcxg.airports.cn

Zhù zhǐ: Yuè Qiáng Bǎo Ānhuī Shěng Huáinán Shì Tiánjiā Ān Qū Bǎo Yóu Lù 727 Hào Huáinán Míng Qiáo Guó Jì Jī Chǎng (Yóuzhèng Biānmǎ：635796). Liánxì Diànhuà：85057602. Diànzǐ Yóuxiāng：cgusr@pyvbjcxg.airports.cn

Qiang Bao Yue, Huainan Ming Qiao International Airport, 727 Bao You Road, Tianjiaan District, Huainan, Anhui. Postal Code: 635796. Phone Number：85057602. E-mail：cgusr@pyvbjcxg.airports.cn

1083。姓名: 关克汉

住址（机场）：安徽省池州市青阳县翼歧路 577 号池州立乙国际机场（邮政编码：604552）。联系电话：39279506。电子邮箱：ngzpq@eiatxgdz.airports.cn

Zhù zhǐ: Guān Kè Hàn Ānhuī Shěng Chízhōu Shì Qīng Yáng Xiàn Yì Qí Lù 577 Hào Cízōu Lì Yǐ Guó Jì Jī Chǎng (Yóuzhèng Biānmǎ：604552). Liánxì Diànhuà：39279506. Diànzǐ Yóuxiāng：ngzpq@eiatxgdz.airports.cn

Ke Han Guan, Chizhou Li Yi International Airport, 577 Yi Qi Road, Qingyang County, Chizhou, Anhui. Postal Code: 604552. Phone Number：39279506. E-mail：ngzpq@eiatxgdz.airports.cn

1084。姓名: 巴南汉

住址（寺庙）：安徽省淮北市杜集区刚寰路 848 号石际寺（邮政编码：210813）。联系电话：43252447。电子邮箱：pkyzn@wiegaqoy.god.cn

Zhù zhǐ: Bā Nán Hàn Ānhuī Shěng Huáiběi Shì Dù Jí Qū Gāng Huán Lù 848 Hào Shí Jì Sì (Yóuzhèng Biānmǎ：210813). Liánxì Diànhuà：43252447. Diànzǐ Yóuxiāng：pkyzn@wiegaqoy.god.cn

Nan Han Ba, Shi Ji Temple, 848 Gang Huan Road, Duji District, Huaibei, Anhui. Postal Code: 210813. Phone Number：43252447. E-mail：pkyzn@wiegaqoy.god.cn

1085。姓名: 纪黎星

住址（公共汽车站）：安徽省芜湖市无为市土茂路 890 号人甫站（邮政编码：992579）。联系电话：22091519。电子邮箱：ykqvx@smokjpdt.transport.cn

Zhù zhǐ: Jì Lí Xīng Ānhuī Shěng Wúhú Shì Wúwéi Shì Tǔ Mào Lù 890 Hào Rén Fǔ Zhàn (Yóuzhèng Biānmǎ：992579). Liánxì Diànhuà：22091519. Diànzǐ Yóuxiāng：ykqvx@smokjpdt.transport.cn

Li Xing Ji, Ren Fu Bus Station, 890 Tu Mao Road, Wuwei City, Wuhu, Anhui. Postal Code: 992579. Phone Number：22091519. E-mail：ykqvx@smokjpdt.transport.cn

1086。姓名: 卞强敬

住址（家庭）：安徽省芜湖市湾沚区水可路 469 号继舟公寓 5 层 204 室（邮政编码：905632）。联系电话：60209690。电子邮箱：iwtmp@jpyctvua.cn

Zhù zhǐ: Biàn Qiáng Jìng Ānhuī Shěng Wúhú Shì Wān Zhǐ Qū Shuǐ Kě Lù 469 Hào Jì Zhōu Gōng Yù 5 Céng 204 Shì (Yóuzhèng Biānmǎ：905632). Liánxì Diànhuà：60209690. Diànzǐ Yóuxiāng：iwtmp@jpyctvua.cn

Qiang Jing Bian, Room# 204, Floor# 5, Ji Zhou Apartment, 469 Shui Ke Road, Bay Area, Wuhu, Anhui. Postal Code: 905632. Phone Number：60209690. E-mail：iwtmp@jpyctvua.cn

1087。姓名: 丰黎白

住址（公园）：安徽省黄山市徽州区轼游路 212 号领石公园（邮政编码：940223）。联系电话：23092929。电子邮箱：txafs@zodixpeg.parks.cn

Zhù zhǐ: Fēng Lí Bái Ānhuī Shěng Huángshān Shì Huīzhōu Qū Shì Yóu Lù 212 Hào Lǐng Shí Gōng Yuán (Yóuzhèng Biānmǎ：940223). Liánxì Diànhuà：23092929. Diànzǐ Yóuxiāng：txafs@zodixpeg.parks.cn

Li Bai Feng, Ling Shi Park, 212 Shi You Road, Huizhou District, Huangshan, Anhui. Postal Code: 940223. Phone Number：23092929. E-mail：txafs@zodixpeg.parks.cn

1088。姓名: 任熔兆

住址（寺庙）：安徽省六安市舒城县铁宽路 740 号大己寺（邮政编码：179275）。联系电话：87024207。电子邮箱：dqspv@zyqkmnhl.god.cn

Zhù zhǐ: Rèn Róng Zhào Ānhuī Shěng Liù Ān Shì Shū Chéng Xiàn Fū Kuān Lù 740 Hào Dài Jǐ Sì (Yóuzhèng Biānmǎ：179275). Liánxì Diànhuà：87024207. Diànzǐ Yóuxiāng：dqspv@zyqkmnhl.god.cn

Rong Zhao Ren, Dai Ji Temple, 740 Fu Kuan Road, Shucheng County, Luan, Anhui. Postal Code: 179275. Phone Number：87024207. E-mail：dqspv@zyqkmnhl.god.cn

1089。姓名: 宰父智澜

住址（博物院）：安徽省滁州市天长市惟翰路 628 号滁州博物馆（邮政编码：741402）。联系电话：72444804。电子邮箱：bflyr@chdntxor.museums.cn

Zhù zhǐ: Zǎifǔ Zhì Lán Ānhuī Shěng Chúzhōu Shì Tiāncháng Shì Wéi Hàn Lù 628 Hào Cúzōu Bó Wù Guǎn (Yóuzhèng Biānmǎ：741402). Liánxì Diànhuà：72444804. Diànzǐ Yóuxiāng：bflyr@chdntxor.museums.cn

Zhi Lan Zaifu, Chuzhou Museum, 628 Wei Han Road, Tianchang City, Chuzhou, Anhui. Postal Code: 741402. Phone Number：72444804. E-mail：bflyr@chdntxor.museums.cn

1090。姓名: 栾辙际

住址（火车站）：安徽省滁州市凤阳县陆庆路 643 号滁州站（邮政编码：245971）。联系电话：62488893。电子邮箱：dziab@zvnbcuxk.chr.cn

Zhù zhǐ: Luán Zhé Jì Ānhuī Shěng Chúzhōu Shì Fèng Yáng Xiàn Liù Qìng Lù 643 Hào Cúzōu Zhàn (Yóuzhèng Biānmǎ：245971). Liánxì Diànhuà：62488893. Diànzǐ Yóuxiāng：dziab@zvnbcuxk.chr.cn

Zhe Ji Luan, Chuzhou Railway Station, 643 Liu Qing Road, Fengyang County, Chuzhou, Anhui. Postal Code: 245971. Phone Number：62488893. E-mail：dziab@zvnbcuxk.chr.cn

1091。姓名: 百里世自

住址（公司）：安徽省铜陵市枞阳县坚九路 153 号陆豹有限公司（邮政编码：786800）。联系电话：30850224。电子邮箱：xtbeq@xapqcfdl.biz.cn

Zhù zhǐ: Bǎilǐ Shì Zì Ānhuī Shěng Tónglíng Shì Cōng Yáng Xiàn Jiān Jiǔ Lù 153 Hào Liù Bào Yǒuxiàn Gōngsī (Yóuzhèng Biānmǎ：786800). Liánxì Diànhuà：30850224. Diànzǐ Yóuxiāng：xtbeq@xapqcfdl.biz.cn

Shi Zi Baili, Liu Bao Corporation, 153 Jian Jiu Road, Zongyang County, Tongling, Anhui. Postal Code: 786800. Phone Number：30850224. E-mail：xtbeq@xapqcfdl.biz.cn

1092。姓名: 双寰泽

住址（医院）：安徽省宿州市埇桥区来晖路 893 号土刚医院（邮政编码：224446）。联系电话：42296488。电子邮箱：eyzai@ueotsfjz.health.cn

Zhù zhǐ: Shuāng Huán Zé Ānhuī Shěng Sùzhōu Shì Yǒng Qiáo Qū Lái Huī Lù 893 Hào Tǔ Gāng Yī Yuàn (Yóuzhèng Biānmǎ：224446). Liánxì Diànhuà：42296488. Diànzǐ Yóuxiāng：eyzai@ueotsfjz.health.cn

Huan Ze Shuang, Tu Gang Hospital, 893 Lai Hui Road, Yongqiao District, Suzhou, Anhui. Postal Code: 224446. Phone Number：42296488. E-mail：eyzai@ueotsfjz.health.cn

1093。姓名: 郎白焯

住址（家庭）：安徽省马鞍山市雨山区楚绅路 147 号员焯公寓 1 层 112 室（邮政编码：927880）。联系电话：28043866。电子邮箱：swhdu@qpznhcyr.cn

Zhù zhǐ: Láng Bái Zhuō Ānhuī Shěng Mǎānshān Shì Yǔ Shānqū Chǔ Shēn Lù 147 Hào Yuán Chāo Gōng Yù 1 Céng 112 Shì (Yóuzhèng Biānmǎ：927880). Liánxì Diànhuà：28043866. Diànzǐ Yóuxiāng：swhdu@qpznhcyr.cn

Bai Zhuo Lang, Room# 112, Floor# 1, Yuan Chao Apartment, 147 Chu Shen Road, Rainy Mountain Area, Maanshan, Anhui. Postal Code: 927880. Phone Number：28043866. E-mail：swhdu@qpznhcyr.cn

1094。姓名: 牟庆自

住址（火车站）：安徽省池州市青阳县来食路 349 号池州站（邮政编码：391313）。联系电话：91519385。电子邮箱：glvqu@urbgqwfk.chr.cn

Zhù zhǐ: Móu Qìng Zì Ānhuī Shěng Chízhōu Shì Qīng Yáng Xiàn Lái Sì Lù 349 Hào Cízōu Zhàn (Yóuzhèng Biānmǎ：391313). Liánxì Diànhuà：91519385. Diànzǐ Yóuxiāng：glvqu@urbgqwfk.chr.cn

Qing Zi Mou, Chizhou Railway Station, 349 Lai Si Road, Qingyang County, Chizhou, Anhui. Postal Code: 391313. Phone Number：91519385. E-mail：glvqu@urbgqwfk.chr.cn

1095。姓名: 皮阳秀

住址（酒店）：安徽省阜阳市临泉县彬原路 688 号铁化酒店（邮政编码：416232）。联系电话：27153640。电子邮箱：sjluz@nozjkhws.biz.cn

Zhù zhǐ: Pí Yáng Xiù Ānhuī Shěng Fùyáng Shì Lín Quán Xiàn Bīn Yuán Lù 688 Hào Tiě Huā Jiǔ Diàn (Yóuzhèng Biānmǎ：416232). Liánxì Diànhuà：27153640. Diànzǐ Yóuxiāng：sjluz@nozjkhws.biz.cn

Yang Xiu Pi, Tie Hua Hotel, 688 Bin Yuan Road, Linquan County, Fuyang, Anhui. Postal Code: 416232. Phone Number：27153640. E-mail：sjluz@nozjkhws.biz.cn

1096。姓名: 褚绅冕

住址（机场）：安徽省淮南市田家庵区钊澜路 175 号淮南焯彬国际机场（邮政编码：813101）。联系电话：26063003。电子邮箱：dnsmx@pvodacet.airports.cn

Zhù zhǐ: Chǔ Shēn Miǎn Ānhuī Shěng Huáinán Shì Tiánjiā Ān Qū Zhāo Lán Lù 175 Hào Huáinán Chāo Bīn Guó Jì Jī Chǎng (Yóuzhèng Biānmǎ：813101). Liánxì Diànhuà：26063003. Diànzǐ Yóuxiāng：dnsmx@pvodacet.airports.cn

Shen Mian Chu, Huainan Chao Bin International Airport, 175 Zhao Lan Road, Tianjiaan District, Huainan, Anhui. Postal Code: 813101. Phone Number：26063003. E-mail：dnsmx@pvodacet.airports.cn

1097。姓名: 尹王秀

住址（医院）：安徽省亳州市蒙城县恩禹路 848 号沛龙医院（邮政编码：445937）。联系电话：15678513。电子邮箱：aysri@ycpmhavw.health.cn

Zhù zhǐ: Yǐn Wàng Xiù Ānhuī Shěng Bózhōu Méng Chéng Xiàn Ēn Yǔ Lù 848 Hào Pèi Lóng Yī Yuàn (Yóuzhèng Biānmǎ：445937). Liánxì Diànhuà：15678513. Diànzǐ Yóuxiāng：aysri@ycpmhavw.health.cn

Wang Xiu Yin, Pei Long Hospital, 848 En Yu Road, Mengcheng County, Bozhou, Anhui. Postal Code: 445937. Phone Number：15678513. E-mail: aysri@ycpmhavw.health.cn

1098。姓名: 幸咚计

住址（广场）：安徽省亳州市涡阳县鹤易路 983 号可奎广场（邮政编码：965569）。联系电话：12330165。电子邮箱：ynjuf@lnovzqug.squares.cn

Zhù zhǐ: Xìng Dōng Jì Ānhuī Shěng Bózhōu Wō Yáng Xiàn Hè Yì Lù 983 Hào Kě Kuí Guǎng Chǎng (Yóuzhèng Biānmǎ：965569). Liánxì Diànhuà：12330165. Diànzǐ Yóuxiāng：ynjuf@lnovzqug.squares.cn

Dong Ji Xing, Ke Kui Square, 983 He Yi Road, Guoyang County, Bozhou, Anhui. Postal Code: 965569. Phone Number：12330165. E-mail: ynjuf@lnovzqug.squares.cn

1099。姓名: 欧阳化钢

住址（机场）：安徽省合肥市包河区山豪路 754 号合肥陆不国际机场（邮政编码：785217）。联系电话：46221134。电子邮箱：udkor@dwbqzmxj.airports.cn

Zhù zhǐ: Ōuyáng Huà Gāng Ānhuī Shěng Héféi Shì Bāo Hé Qū Shān Háo Lù 754 Hào Héféi Liù Bù Guó Jì Jī Chǎng (Yóuzhèng Biānmǎ：785217). Liánxì Diànhuà：46221134. Diànzǐ Yóuxiāng：udkor@dwbqzmxj.airports.cn

Hua Gang Ouyang, Hefei Liu Bu International Airport, 754 Shan Hao Road, Baohe District, Hefei, Anhui. Postal Code: 785217. Phone Number：46221134. E-mail：udkor@dwbqzmxj.airports.cn

1100。姓名: 危盛帆

住址（公司）：安徽省安庆市宜秀区中惟路 426 号郁继有限公司（邮政编码：487771）。联系电话：74184657。电子邮箱：ryjxq@wgpjelhf.biz.cn

Zhù zhǐ: Wēi Chéng Fān Ānhuī Shěng Ānqìng Shì Yí Xiù Qū Zhōng Wéi Lù 426 Hào Yù Jì Yǒuxiàn Gōngsī (Yóuzhèng Biānmǎ：487771). Liánxì Diànhuà：74184657. Diànzǐ Yóuxiāng：ryjxq@wgpjelhf.biz.cn

Cheng Fan Wei, Yu Ji Corporation, 426 Zhong Wei Road, Yixiu District, Anqing, Anhui. Postal Code: 487771. Phone Number：74184657. E-mail：ryjxq@wgpjelhf.biz.cn

1101。姓名: 龚国彬

住址（火车站）：安徽省铜陵市义安区发维路 468 号铜陵站（邮政编码：744496）。联系电话：14111406。电子邮箱：lepdx@rqekozxb.chr.cn

Zhù zhǐ: Gōng Guó Bīn Ānhuī Shěng Tónglíng Shì Yì Ān Qū Fā Wéi Lù 468 Hào Tónglíng Zhàn (Yóuzhèng Biānmǎ：744496). Liánxì Diànhuà：14111406. Diànzǐ Yóuxiāng：lepdx@rqekozxb.chr.cn

Guo Bin Gong, Tongling Railway Station, 468 Fa Wei Road, Yi An District, Tongling, Anhui. Postal Code: 744496. Phone Number：14111406. E-mail：lepdx@rqekozxb.chr.cn

1102。姓名: 糜金译

住址（博物院）：安徽省芜湖市鸠江区学谢路 352 号芜湖博物馆（邮政编码：480337）。联系电话：61033273。电子邮箱：gsydo@xghelmcr.museums.cn

Zhù zhǐ: Mí Jīn Yì Ānhuī Shěng Wúhú Shì Jiū Jiāng Qū Xué Xiè Lù 352 Hào Wúú Bó Wù Guǎn (Yóuzhèng Biānmǎ：480337). Liánxì Diànhuà：61033273. Diànzǐ Yóuxiāng：gsydo@xghelmcr.museums.cn

Jin Yi Mi, Wuhu Museum, 352 Xue Xie Road, Jiujiang District, Wuhu, Anhui. Postal Code: 480337. Phone Number：61033273. E-mail：gsydo@xghelmcr.museums.cn

1103。姓名: 朱福顺

住址（广场）：安徽省六安市霍山县征游路 663 号敬伦广场（邮政编码：542591）。联系电话：42231818。电子邮箱：jupdn@dtfuaqkv.squares.cn

Zhù zhǐ: Zhū Fú Shùn Ānhuī Shěng Liù Ān Shì Huòshānxiàn Zhēng Yóu Lù 663 Hào Jìng Lún Guǎng Chǎng (Yóuzhèng Biānmǎ：542591). Liánxì Diànhuà：42231818. Diànzǐ Yóuxiāng：jupdn@dtfuaqkv.squares.cn

Fu Shun Zhu, Jing Lun Square, 663 Zheng You Road, Huoshan County, Luan, Anhui. Postal Code: 542591. Phone Number：42231818. E-mail：jupdn@dtfuaqkv.squares.cn

1104。姓名: 哈进熔

住址（家庭）：安徽省亳州市谯城区院岐路 225 号光鹤公寓 17 层 401 室（邮政编码：537323）。联系电话：90004391。电子邮箱：ptufx@azdsnugw.cn

Zhù zhǐ: Hǎ Jìn Róng Ānhuī Shěng Bózhōu Qiáo Chéngqū Yuàn Qí Lù 225 Hào Guāng Hè Gōng Yù 17 Céng 401 Shì (Yóuzhèng Biānmǎ：537323). Liánxì Diànhuà：90004391. Diànzǐ Yóuxiāng：ptufx@azdsnugw.cn

Jin Rong Ha, Room# 401, Floor# 17, Guang He Apartment, 225 Yuan Qi Road, Qiaocheng District, Bozhou, Anhui. Postal Code: 537323. Phone Number：90004391. E-mail：ptufx@azdsnugw.cn

1105。姓名: 王宝跃

住址（寺庙）：安徽省安庆市望江县领洵路 614 号冕德寺（邮政编码：485869）。联系电话：80470367。电子邮箱：jitku@xsvnmjwe.god.cn

Zhù zhǐ: Wáng Bǎo Yuè Ānhuī Shěng Ānqìng Shì Wàng Jiāng Xiàn Lǐng Xún Lù 614 Hào Miǎn Dé Sì (Yóuzhèng Biānmǎ：485869). Liánxì Diànhuà：80470367. Diànzǐ Yóuxiāng：jitku@xsvnmjwe.god.cn

Bao Yue Wang, Mian De Temple, 614 Ling Xun Road, Wangjiang County, Anqing, Anhui. Postal Code: 485869. Phone Number：80470367. E-mail：jitku@xsvnmjwe.god.cn

1106。姓名: 充征亮

住址（机场）：安徽省淮北市烈山区冠冠路 206 号淮北盛楚国际机场（邮政编码：477408）。联系电话：49089827。电子邮箱：cqbud@upzlynsk.airports.cn

Zhù zhǐ: Chōng Zhēng Liàng Ānhuī Shěng Huáiběi Shì Liè Shānqū Guān Guàn Lù 206 Hào Huáiběi Shèng Chǔ Guó Jì Jī Chǎng (Yóuzhèng Biānmǎ：477408). Liánxì Diànhuà：49089827. Diànzǐ Yóuxiāng：cqbud@upzlynsk.airports.cn

Zheng Liang Chong, Huaibei Sheng Chu International Airport, 206 Guan Guan Road, Lieshan District, Huaibei, Anhui. Postal Code: 477408. Phone Number：49089827. E-mail：cqbud@upzlynsk.airports.cn

1107。姓名: 乐涛楚

住址（广场）：安徽省铜陵市郊区科庆路 622 号山亭广场（邮政编码：324485）。联系电话：11858910。电子邮箱：mwsud@myzcdnfr.squares.cn

Zhù zhǐ: Yuè Tāo Chǔ Ānhuī Shěng Tónglíng Shì Jiāoqū Kē Qìng Lù 622 Hào Shān Tíng Guǎng Chǎng (Yóuzhèng Biānmǎ：324485). Liánxì Diànhuà：11858910. Diànzǐ Yóuxiāng：mwsud@myzcdnfr.squares.cn

Tao Chu Yue, Shan Ting Square, 622 Ke Qing Road, Jiao District, Tongling, Anhui. Postal Code: 324485. Phone Number：11858910. E-mail：mwsud@myzcdnfr.squares.cn

1108。姓名: 狄豹近

住址（博物院）：安徽省淮南市谢家集区郁惟路 482 号淮南博物馆（邮政编码：421348）。联系电话：90523594。电子邮箱：bukol@kgbhpvwi.museums.cn

Zhù zhǐ: Dí Bào Jìn Ānhuī Shěng Huáinán Shì Xiè Jiā Jí Qū Yù Wéi Lù 482 Hào Huáinán Bó Wù Guǎn（Yóuzhèng Biānmǎ：421348). Liánxì Diànhuà：90523594. Diànzǐ Yóuxiāng：bukol@kgbhpvwi.museums.cn

Bao Jin Di, Huainan Museum, 482 Yu Wei Road, Xiejiaji District, Huainan, Anhui. Postal Code: 421348. Phone Number：90523594. E-mail：bukol@kgbhpvwi.museums.cn

1109。姓名: 祝福彬

住址（医院）：安徽省宣城市绩溪县锡辙路 334 号绅全医院（邮政编码：843435）。联系电话：57073829。电子邮箱：deoza@poyzxqbk.health.cn

Zhù zhǐ: Zhù Fú Bīn Ānhuī Shěng Xuān Chéngshì Jīxī Xiàn Xī Zhé Lù 334 Hào Shēn Quán Yī Yuàn（Yóuzhèng Biānmǎ：843435). Liánxì Diànhuà：57073829. Diànzǐ Yóuxiāng：deoza@poyzxqbk.health.cn

Fu Bin Zhu, Shen Quan Hospital, 334 Xi Zhe Road, Jixi County, Xuancheng, Anhui. Postal Code: 843435. Phone Number：57073829. E-mail：deoza@poyzxqbk.health.cn

1110。姓名: 戎帆仓

住址（湖泊）：安徽省淮南市八公山区龙葛路 775 号山臻湖（邮政编码：484011）。联系电话：15323021。电子邮箱：ixjfv@gexmrpno.lakes.cn

Zhù zhǐ: Róng Fān Cāng Ānhuī Shěng Huáinán Shì Bā Gōng Shānqū Lóng Gé Lù 775 Hào Shān Zhēn Hú (Yóuzhèng Biānmǎ： 484011). Liánxì Diànhuà： 15323021. Diànzǐ Yóuxiāng： ixjfv@gexmrpno.lakes.cn

Fan Cang Rong, Shan Zhen Lake, 775 Long Ge Road, Bagong Mountain, Huainan, Anhui. Postal Code: 484011. Phone Number： 15323021. E-mail： ixjfv@gexmrpno.lakes.cn

CHAPTER 3: NAME, SURNAME & ADDRESSES (61-90)

1111。姓名: 阙臻帆

住址（大学）：安徽省池州市青阳县汉嘉大学葆冕路 543 号（邮政编码：541338）。联系电话：59548538。电子邮箱：bjzhv@idvksryu.edu.cn

Zhù zhǐ: Quē Zhēn Fān Ānhuī Shěng Chízhōu Shì Qīng Yáng Xiàn Hàn Jiā DàxuéBǎo Miǎn Lù 543 Hào (Yóuzhèng Biānmǎ：541338). Liánxì Diànhuà：59548538. Diànzǐ Yóuxiāng：bjzhv@idvksryu.edu.cn

Zhen Fan Que, Han Jia University, 543 Bao Mian Road, Qingyang County, Chizhou, Anhui. Postal Code: 541338. Phone Number：59548538. E-mail：bjzhv@idvksryu.edu.cn

1112。姓名: 于磊寰

住址（博物院）：安徽省芜湖市经济技术开发区毅居路 652 号芜湖博物馆（邮政编码：747334）。联系电话：63324984。电子邮箱：erlun@evkynhuj.museums.cn

Zhù zhǐ: Yú Lěi Huán Ānhuī Shěng Wúhú Shì Jīngjì Jìshù Kāifā Qū Yì Jū Lù 652 Hào Wúú Bó Wù Guǎn (Yóuzhèng Biānmǎ：747334). Liánxì Diànhuà：63324984. Diànzǐ Yóuxiāng：erlun@evkynhuj.museums.cn

Lei Huan Yu, Wuhu Museum, 652 Yi Ju Road, Economic And Technological Development Zone, Wuhu, Anhui. Postal Code: 747334. Phone Number：63324984. E-mail：erlun@evkynhuj.museums.cn

1113。姓名: 尤土近

住址（寺庙）：安徽省淮南市大通区维国路 615 号维浩寺（邮政编码：556528）。联系电话：87643411。电子邮箱：dxtwf@mnoyftse.god.cn

Zhù zhǐ: Yóu Tǔ Jìn Ānhuī Shěng Huáinán Shì Dàtōng Qū Wéi Guó Lù 615 Hào Wéi Hào Sì（Yóuzhèng Biānmǎ：556528). Liánxì Diànhuà：87643411. Diànzǐ Yóuxiāng：dxtwf@mnoyftse.god.cn

Tu Jin You, Wei Hao Temple, 615 Wei Guo Road, Datong District, Huainan, Anhui. Postal Code: 556528. Phone Number：87643411. E-mail：dxtwf@mnoyftse.god.cn

1114。姓名: 濮阳食启

住址（大学）：安徽省合肥市巢湖市澜仓大学珂惟路 178 号（邮政编码：652480）。联系电话：31776934。电子邮箱：ugpvz@wryfgdln.edu.cn

Zhù zhǐ: Púyáng Yì Qǐ Ānhuī Shěng Héféi Shì Cháohú Shì Lán Cāng DàxuéKē Wéi Lù 178 Hào（Yóuzhèng Biānmǎ：652480). Liánxì Diànhuà：31776934. Diànzǐ Yóuxiāng：ugpvz@wryfgdln.edu.cn

Yi Qi Puyang, Lan Cang University, 178 Ke Wei Road, Chaohu City, Hefei, Anhui. Postal Code: 652480. Phone Number：31776934. E-mail：ugpvz@wryfgdln.edu.cn

1115。姓名: 公良南豹

住址（广场）：安徽省合肥市长丰县隆豪路 528 号来顺广场（邮政编码：708128）。联系电话：97263491。电子邮箱：orgmx@fldcijzn.squares.cn

Zhù zhǐ: Gōngliáng Nán Bào Ānhuī Shěng Héféi Shì Zhǎng Fēngxiàn Lóng Háo Lù 528 Hào Lái Shùn Guǎng Chǎng（Yóuzhèng Biānmǎ：708128). Liánxì Diànhuà：97263491. Diànzǐ Yóuxiāng：orgmx@fldcijzn.squares.cn

Nan Bao Gongliang, Lai Shun Square, 528 Long Hao Road, Changfeng County, Hefei, Anhui. Postal Code: 708128. Phone Number：97263491. E-mail：orgmx@fldcijzn.squares.cn

1116。姓名: 师成可

住址（博物院）：安徽省亳州市涡阳县磊队路 843 号亳州博物馆（邮政编码：800649）。联系电话：44361732。电子邮箱：hyqga@bqzpnrot.museums.cn

Zhù zhǐ: Shī Chéng Kě Ānhuī Shěng Bózhōu Wō Yáng Xiàn Lěi Duì Lù 843 Hào Bózōu Bó Wù Guǎn (Yóuzhèng Biānmǎ：800649). Liánxì Diànhuà：44361732. Diànzǐ Yóuxiāng：hyqga@bqzpnrot.museums.cn

Cheng Ke Shi, Bozhou Museum, 843 Lei Dui Road, Guoyang County, Bozhou, Anhui. Postal Code: 800649. Phone Number：44361732. E-mail：hyqga@bqzpnrot.museums.cn

1117。姓名: 史宽屹

住址（广场）：安徽省黄山市黄山区金俊路 654 号郁寰广场（邮政编码：220926）。联系电话：87660708。电子邮箱：qfitl@jqaewkpz.squares.cn

Zhù zhǐ: Shǐ Kuān Yì Ānhuī Shěng Huángshān Shì Huángshānqū Jīn Jùn Lù 654 Hào Yù Huán Guǎng Chǎng (Yóuzhèng Biānmǎ：220926). Liánxì Diànhuà：87660708. Diànzǐ Yóuxiāng：qfitl@jqaewkpz.squares.cn

Kuan Yi Shi, Yu Huan Square, 654 Jin Jun Road, Huangshan District, Huangshan, Anhui. Postal Code: 220926. Phone Number：87660708. E-mail：qfitl@jqaewkpz.squares.cn

1118。姓名: 长孙锡禹

住址（大学）：安徽省安庆市太湖县豪焯大学可铭路 188 号（邮政编码：183966）。联系电话：49420152。电子邮箱：uhofq@ysrpuvkc.edu.cn

Zhù zhǐ: Zhǎngsūn Xī Yǔ Ānhuī Shěng Ānqìng Shì Tàihú Xiàn Háo Zhuō DàxuéKě Míng Lù 188 Hào (Yóuzhèng Biānmǎ：183966). Liánxì Diànhuà：49420152. Diànzǐ Yóuxiāng：uhofq@ysrpuvkc.edu.cn

Xi Yu Zhangsun, Hao Zhuo University, 188 Ke Ming Road, Taihu County, Anqing, Anhui. Postal Code: 183966. Phone Number：49420152. E-mail：uhofq@ysrpuvkc.edu.cn

1119。姓名: 诸毅可

住址（博物院）：安徽省铜陵市枞阳县焯译路 362 号铜陵博物馆（邮政编码：487069）。联系电话：23592825。电子邮箱：ngoiy@gpdlbjkn.museums.cn

Zhù zhǐ: Zhū Yì Kě Ānhuī Shěng Tónglíng Shì Cōng Yáng Xiàn Chāo Yì Lù 362 Hào Tónglíng Bó Wù Guǎn (Yóuzhèng Biānmǎ：487069). Liánxì Diànhuà：23592825. Diànzǐ Yóuxiāng：ngoiy@gpdlbjkn.museums.cn

Yi Ke Zhu, Tongling Museum, 362 Chao Yi Road, Zongyang County, Tongling, Anhui. Postal Code: 487069. Phone Number：23592825. E-mail：ngoiy@gpdlbjkn.museums.cn

1120。姓名: 海亭己

住址（机场）：安徽省铜陵市枞阳县顺跃路 870 号铜陵惟坤国际机场（邮政编码：469966）。联系电话：65125703。电子邮箱：jwumi@egdxyjqr.airports.cn

Zhù zhǐ: Hǎi Tíng Jǐ Ānhuī Shěng Tónglíng Shì Cōng Yáng Xiàn Shùn Yuè Lù 870 Hào Tónglíng Wéi Kūn Guó Jì Jī Chǎng (Yóuzhèng Biānmǎ：469966). Liánxì Diànhuà：65125703. Diànzǐ Yóuxiāng：jwumi@egdxyjqr.airports.cn

Ting Ji Hai, Tongling Wei Kun International Airport, 870 Shun Yue Road, Zongyang County, Tongling, Anhui. Postal Code: 469966. Phone Number：65125703. E-mail：jwumi@egdxyjqr.airports.cn

1121。姓名: 濮守轶

住址（广场）：安徽省合肥市瑶海区仲晗路 105 号山淹广场（邮政编码：221774）。联系电话：52842159。电子邮箱：cvrej@idajwohs.squares.cn

Zhù zhǐ: Pú Shǒu Yì Ānhuī Shěng Héféi Shì Yáo Hǎiqū Zhòng Hán Lù 105 Hào Shān Yān Guǎng Chǎng (Yóuzhèng Biānmǎ：221774). Liánxì Diànhuà：52842159. Diànzǐ Yóuxiāng：cvrej@idajwohs.squares.cn

Shou Yi Pu, Shan Yan Square, 105 Zhong Han Road, Yaohai District, Hefei, Anhui. Postal Code: 221774. Phone Number：52842159. E-mail：cvrej@idajwohs.squares.cn

1122。姓名: 隗鹤腾

住址（公园）：安徽省阜阳市颍泉区兵强路 795 号科秀公园（邮政编码：885840）。联系电话：51459559。电子邮箱：fsrav@quvtchnf.parks.cn

Zhù zhǐ: Kuí Hè Téng Ānhuī Shěng Fùyáng Shì Yǐng Quán Qū Bīng Qiáng Lù 795 Hào Kē Xiù Gōng Yuán (Yóuzhèng Biānmǎ：885840). Liánxì Diànhuà：51459559. Diànzǐ Yóuxiāng：fsrav@quvtchnf.parks.cn

He Teng Kui, Ke Xiu Park, 795 Bing Qiang Road, Yingquan District, Fuyang, Anhui. Postal Code: 885840. Phone Number：51459559. E-mail：fsrav@quvtchnf.parks.cn

1123。姓名: 家中大

住址（家庭）：安徽省淮北市杜集区发宽路 338 号彬葛公寓 40 层 982 室（邮政编码：260061）。联系电话：82291439。电子邮箱：fusyl@slfdgqtv.cn

Zhù zhǐ: Jiā Zhōng Dài Ānhuī Shěng Huáiběi Shì Dù Jí Qū Fā Kuān Lù 338 Hào Bīn Gé Gōng Yù 40 Céng 982 Shì (Yóuzhèng Biānmǎ：260061). Liánxì Diànhuà：82291439. Diànzǐ Yóuxiāng：fusyl@slfdgqtv.cn

Zhong Dai Jia, Room# 982, Floor# 40, Bin Ge Apartment, 338 Fa Kuan Road, Duji District, Huaibei, Anhui. Postal Code: 260061. Phone Number：82291439. E-mail：fusyl@slfdgqtv.cn

1124。姓名: 段干维超

住址（大学）：安徽省马鞍山市博望区山钢大学乐锡路 914 号（邮政编码：887250）。联系电话：85792441。电子邮箱：kuxto@mvsjchfo.edu.cn

Zhù zhǐ: Duàngān Wéi Chāo Ānhuī Shěng Mǎānshān Shì Bó Wàng Qū Shān Gāng DàxuéLè Xī Lù 914 Hào (Yóuzhèng Biānmǎ：887250). Liánxì Diànhuà：85792441. Diànzǐ Yóuxiāng：kuxto@mvsjchfo.edu.cn

Wei Chao Duangan, Shan Gang University, 914 Le Xi Road, Bowang District, Maanshan, Anhui. Postal Code: 887250. Phone Number：85792441. E-mail：kuxto@mvsjchfo.edu.cn

1125。姓名: 束化圣

住址（机场）：安徽省滁州市琅琊区红渊路 249 号滁州可冠国际机场（邮政编码：686919）。联系电话：17414109。电子邮箱：keqyp@vstklayb.airports.cn

Zhù zhǐ: Shù Huà Shèng Ānhuī Shěng Chúzhōu Shì Lángyá Qū Hóng Yuān Lù 249 Hào Cúzōu Kě Guān Guó Jì Jī Chǎng (Yóuzhèng Biānmǎ：686919). Liánxì Diànhuà：17414109. Diànzǐ Yóuxiāng：keqyp@vstklayb.airports.cn

Hua Sheng Shu, Chuzhou Ke Guan International Airport, 249 Hong Yuan Road, Langya District, Chuzhou, Anhui. Postal Code: 686919. Phone Number：17414109. E-mail：keqyp@vstklayb.airports.cn

1126。姓名: 汤鹤坡

住址（广场）：安徽省亳州市涡阳县王磊路 631 号岐南广场（邮政编码：279615）。联系电话：32253634。电子邮箱：xoelp@oigymfen.squares.cn

Zhù zhǐ: Tāng Hè Pō Ānhuī Shěng Bózhōu Wō Yáng Xiàn Wàng Lěi Lù 631 Hào Qí Nán Guǎng Chǎng (Yóuzhèng Biānmǎ：279615). Liánxì Diànhuà：32253634. Diànzǐ Yóuxiāng：xoelp@oigymfen.squares.cn

He Po Tang, Qi Nan Square, 631 Wang Lei Road, Guoyang County, Bozhou, Anhui. Postal Code: 279615. Phone Number：32253634. E-mail：xoelp@oigymfen.squares.cn

1127。姓名: 温食计

住址（寺庙）：安徽省宣城市广德市超源路 291 号绅游寺（邮政编码：467643）。联系电话：83491910。电子邮箱：ftijq@hajnftei.god.cn

Zhù zhǐ: Wēn Yì Jì Ānhuī Shěng Xuān Chéngshì Guǎng Dé Shì Chāo Yuán Lù 291 Hào Shēn Yóu Sì (Yóuzhèng Biānmǎ：467643). Liánxì Diànhuà：83491910. Diànzǐ Yóuxiāng：ftijq@hajnftei.god.cn

Yi Ji Wen, Shen You Temple, 291 Chao Yuan Road, Guangde City, Xuancheng, Anhui. Postal Code: 467643. Phone Number：83491910. E-mail：ftijq@hajnftei.god.cn

1128。姓名: 仰庆智

住址（公园）：安徽省铜陵市郊区可尚路 977 号屹钢公园（邮政编码：792481）。联系电话：42229082。电子邮箱：izsnu@jypeitzf.parks.cn

Zhù zhǐ: Yǎng Qìng Zhì Ānhuī Shěng Tónglíng Shì Jiāoqū Kě Shàng Lù 977 Hào Yì Gāng Gōng Yuán (Yóuzhèng Biānmǎ：792481). Liánxì Diànhuà：42229082. Diànzǐ Yóuxiāng：izsnu@jypeitzf.parks.cn

Qing Zhi Yang, Yi Gang Park, 977 Ke Shang Road, Jiao District, Tongling, Anhui. Postal Code: 792481. Phone Number：42229082. E-mail：izsnu@jypeitzf.parks.cn

1129。姓名: 关楚原

住址（家庭）：安徽省安庆市迎江区珂福路 713 号可启公寓 33 层 398 室（邮政编码：413468）。联系电话：39337050。电子邮箱：sgyqj@vtwgjlcr.cn

Zhù zhǐ: Guān Chǔ Yuán Ānhuī Shěng Ānqìng Shì Yíng Jiāng Qū Kē Fú Lù 713 Hào Kě Qǐ Gōng Yù 33 Céng 398 Shì (Yóuzhèng Biānmǎ：413468). Liánxì Diànhuà：39337050. Diànzǐ Yóuxiāng：sgyqj@vtwgjlcr.cn

Chu Yuan Guan, Room# 398, Floor# 33, Ke Qi Apartment, 713 Ke Fu Road, Yingjiang District, Anqing, Anhui. Postal Code: 413468. Phone Number：39337050. E-mail： sgyqj@vtwgjlcr.cn

1130。姓名: 堵仲学

住址（大学）：安徽省阜阳市颍泉区进洵大学奎桥路 278 号（邮政编码：152373）。联系电话：85233145。电子邮箱：imezc@xovgzcyh.edu.cn

Zhù zhǐ: Dǔ Zhòng Xué Ānhuī Shěng Fùyáng Shì Yǐng Quán Qū Jìn Xún DàxuéKuí Qiáo Lù 278 Hào (Yóuzhèng Biānmǎ： 152373). Liánxì Diànhuà： 85233145. Diànzǐ Yóuxiāng： imezc@xovgzcyh.edu.cn

Zhong Xue Du, Jin Xun University, 278 Kui Qiao Road, Yingquan District, Fuyang, Anhui. Postal Code: 152373. Phone Number： 85233145. E-mail： imezc@xovgzcyh.edu.cn

1131。姓名: 易帆九

住址（公司）：安徽省芜湖市鸠江区甫隆路 260 号其成有限公司（邮政编码：213221）。联系电话：13853023。电子邮箱：maiyw@kfyclmaq.biz.cn

Zhù zhǐ: Yì Fān Jiǔ Ānhuī Shěng Wúhú Shì Jiū Jiāng Qū Fǔ Lóng Lù 260 Hào Qí Chéng Yǒuxiàn Gōngsī (Yóuzhèng Biānmǎ： 213221). Liánxì Diànhuà： 13853023. Diànzǐ Yóuxiāng： maiyw@kfyclmaq.biz.cn

Fan Jiu Yi, Qi Cheng Corporation, 260 Fu Long Road, Jiujiang District, Wuhu, Anhui. Postal Code: 213221. Phone Number： 13853023. E-mail： maiyw@kfyclmaq.biz.cn

1132。姓名: 武懂翼

住址（大学）：安徽省亳州市利辛县坤人大学乐成路 129 号（邮政编码：935946）。联系电话：23373101。电子邮箱：nftyr@iwobjnzv.edu.cn

Zhù zhǐ: Wǔ Dǒng Yì Ānhuī Shěng Bózhōu Lì Xīn Xiàn Kūn Rén DàxuéLè Chéng Lù 129 Hào (Yóuzhèng Biānmǎ：935946). Liánxì Diànhuà：23373101. Diànzǐ Yóuxiāng：nftyr@iwobjnzv.edu.cn

Dong Yi Wu, Kun Ren University, 129 Le Cheng Road, Lixin County, Bozhou, Anhui. Postal Code: 935946. Phone Number：23373101. E-mail：nftyr@iwobjnzv.edu.cn

1133。姓名: 崔自斌

住址（博物院）：安徽省芜湖市鸠江区大自路 954 号芜湖博物馆（邮政编码：485567）。联系电话：91148918。电子邮箱：toubx@vnbgdksi.museums.cn

Zhù zhǐ: Cuī Zì Bīn Ānhuī Shěng Wúhú Shì Jiū Jiāng Qū Dài Zì Lù 954 Hào Wúú Bó Wù Guǎn (Yóuzhèng Biānmǎ：485567). Liánxì Diànhuà：91148918. Diànzǐ Yóuxiāng：toubx@vnbgdksi.museums.cn

Zi Bin Cui, Wuhu Museum, 954 Dai Zi Road, Jiujiang District, Wuhu, Anhui. Postal Code: 485567. Phone Number：91148918. E-mail：toubx@vnbgdksi.museums.cn

1134。姓名: 况岐晗

住址（大学）：安徽省铜陵市枞阳县乐院大学智山路 234 号（邮政编码：309465）。联系电话：29153017。电子邮箱：ruabj@fldyehmi.edu.cn

Zhù zhǐ: Kuàng Qí Hán Ānhuī Shěng Tónglíng Shì Cōng Yáng Xiàn Lè Yuàn DàxuéZhì Shān Lù 234 Hào (Yóuzhèng Biānmǎ：309465). Liánxì Diànhuà：29153017. Diànzǐ Yóuxiāng：ruabj@fldyehmi.edu.cn

Qi Han Kuang, Le Yuan University, 234 Zhi Shan Road, Zongyang County, Tongling, Anhui. Postal Code: 309465. Phone Number：29153017. E-mail：ruabj@fldyehmi.edu.cn

1135。姓名: 靳黎炯

住址（博物院）：安徽省滁州市凤阳县晖进路 457 号滁州博物馆（邮政编码：638850）。联系电话：68098414。电子邮箱：xdhlo@ferdzxcm.museums.cn

Zhù zhǐ: Jìn Lí Jiǒng Ānhuī Shěng Chúzhōu Shì Fèng Yáng Xiàn Huī Jìn Lù 457 Hào Cúzōu Bó Wù Guǎn (Yóuzhèng Biānmǎ：638850). Liánxì Diànhuà：68098414. Diànzǐ Yóuxiāng：xdhlo@ferdzxcm.museums.cn

Li Jiong Jin, Chuzhou Museum, 457 Hui Jin Road, Fengyang County, Chuzhou, Anhui. Postal Code: 638850. Phone Number：68098414. E-mail：xdhlo@ferdzxcm.museums.cn

1136。姓名: 东勇大

住址（大学）：安徽省铜陵市枞阳县坡歧大学己振路 811 号（邮政编码：894743）。联系电话：19075467。电子邮箱：wnblh@mfqastow.edu.cn

Zhù zhǐ: Dōng Yǒng Dà Ānhuī Shěng Tónglíng Shì Cōng Yáng Xiàn Pō Qí DàxuéJǐ Zhèn Lù 811 Hào (Yóuzhèng Biānmǎ：894743). Liánxì Diànhuà：19075467. Diànzǐ Yóuxiāng：wnblh@mfqastow.edu.cn

Yong Da Dong, Po Qi University, 811 Ji Zhen Road, Zongyang County, Tongling, Anhui. Postal Code: 894743. Phone Number：19075467. E-mail：wnblh@mfqastow.edu.cn

1137。姓名: 宰甫宽

住址（家庭）：安徽省合肥市庐江县守阳路 914 号泽葆公寓 35 层 566 室（邮政编码：174196）。联系电话：75678310。电子邮箱：uctzs@qyhriguz.cn

Zhù zhǐ: Zǎi Fǔ Kuān Ānhuī Shěng Héféi Shì Lújiāng Xiàn Shǒu Yáng Lù 914 Hào Zé Bǎo Gōng Yù 35 Céng 566 Shì (Yóuzhèng Biānmǎ：174196). Liánxì Diànhuà：75678310. Diànzǐ Yóuxiāng：uctzs@qyhriguz.cn

Fu Kuan Zai, Room# 566, Floor# 35, Ze Bao Apartment, 914 Shou Yang Road, Lujiang County, Hefei, Anhui. Postal Code: 174196. Phone Number：75678310. E-mail：uctzs@qyhriguz.cn

1138。姓名: 穆豹舟

住址（公园）：安徽省池州市石台县化人路 796 号振歧公园（邮政编码：650403）。联系电话：92083994。电子邮箱：zjypl@oxjnqtrg.parks.cn

Zhù zhǐ: Mù Bào Zhōu Ānhuī Shěng Chízhōu Shì Shí Tái Xiàn Huā Rén Lù 796 Hào Zhèn Qí Gōng Yuán (Yóuzhèng Biānmǎ：650403). Liánxì Diànhuà：92083994. Diànzǐ Yóuxiāng：zjypl@oxjnqtrg.parks.cn

Bao Zhou Mu, Zhen Qi Park, 796 Hua Ren Road, Shitai County, Chizhou, Anhui. Postal Code: 650403. Phone Number：92083994. E-mail：zjypl@oxjnqtrg.parks.cn

1139。姓名: 殷焯计

住址（广场）：安徽省宣城市宁国市愈克路 492 号铁易广场（邮政编码：289749）。联系电话：17153107。电子邮箱：ozxet@sofmdgyn.squares.cn

Zhù zhǐ: Yīn Zhuō Jì Ānhuī Shěng Xuān Chéngshì Níngguó Shì Yù Kè Lù 492 Hào Fū Yì Guǎng Chǎng (Yóuzhèng Biānmǎ：289749). Liánxì Diànhuà：17153107. Diànzǐ Yóuxiāng：ozxet@sofmdgyn.squares.cn

Zhuo Ji Yin, Fu Yi Square, 492 Yu Ke Road, Ningguo, Xuancheng, Anhui. Postal Code: 289749. Phone Number：17153107. E-mail：ozxet@sofmdgyn.squares.cn

1140。姓名: 季珂土

住址（医院）：安徽省淮北市杜集区谢队路 555 号风寰医院（邮政编码：898724）。联系电话：14042604。电子邮箱：kpxaj@cxptbyjk.health.cn

Zhù zhǐ: Jì Kē Tǔ Ānhuī Shěng Huáiběi Shì Dù Jí Qū Xiè Duì Lù 555 Hào Fēng Huán Yī Yuàn（Yóuzhèng Biānmǎ：898724). Liánxì Diànhuà：14042604. Diànzǐ Yóuxiāng：kpxaj@cxptbyjk.health.cn

Ke Tu Ji, Feng Huan Hospital, 555 Xie Dui Road, Duji District, Huaibei, Anhui. Postal Code: 898724. Phone Number：14042604. E-mail：kpxaj@cxptbyjk.health.cn

CHAPTER 4: NAME, SURNAME & ADDRESSES (91-120)

1141。姓名: 冉敬辉

住址（医院）：安徽省马鞍山市博望区沛陆路 177 号不坡医院（邮政编码：368170）。联系电话：39539195。电子邮箱：ujalk@lkyrfzoc.health.cn

Zhù zhǐ: Rǎn Jìng Huī Ānhuī Shěng Mǎānshān Shì Bó Wàng Qū Bèi Liù Lù 177 Hào Bù Pō Yī Yuàn (Yóuzhèng Biānmǎ：368170). Liánxì Diànhuà：39539195. Diànzǐ Yóuxiāng：ujalk@lkyrfzoc.health.cn

Jing Hui Ran, Bu Po Hospital, 177 Bei Liu Road, Bowang District, Maanshan, Anhui. Postal Code: 368170. Phone Number：39539195. E-mail：ujalk@lkyrfzoc.health.cn

1142。姓名: 雷翼立

住址（广场）：安徽省芜湖市弋江区亭启路 893 号辙鹤广场（邮政编码：123096）。联系电话：75806802。电子邮箱：quowr@yuprebcl.squares.cn

Zhù zhǐ: Léi Yì Lì Ānhuī Shěng Wúhú Shì Yì Jiāng Qū Tíng Qǐ Lù 893 Hào Zhé Hè Guǎng Chǎng (Yóuzhèng Biānmǎ：123096). Liánxì Diànhuà：75806802. Diànzǐ Yóuxiāng：quowr@yuprebcl.squares.cn

Yi Li Lei, Zhe He Square, 893 Ting Qi Road, Yijiang District, Wuhu, Anhui. Postal Code: 123096. Phone Number：75806802. E-mail：quowr@yuprebcl.squares.cn

1143。姓名: 廉食辙

住址（公共汽车站）：安徽省亳州市利辛县光豹路 482 号石钊站（邮政编码：492890）。联系电话：51990723。电子邮箱：uhakw@kwvtmgac.transport.cn

Zhù zhǐ: Lián Sì Zhé Ānhuī Shěng Bózhōu Lì Xīn Xiàn Guāng Bào Lù 482 Hào Shí Zhāo Zhàn (Yóuzhèng Biānmǎ：492890). Liánxì Diànhuà：51990723. Diànzǐ Yóuxiāng：uhakw@kwvtmgac.transport.cn

Si Zhe Lian, Shi Zhao Bus Station, 482 Guang Bao Road, Lixin County, Bozhou, Anhui. Postal Code: 492890. Phone Number：51990723. E-mail：uhakw@kwvtmgac.transport.cn

1144。姓名: 阎腾宝

住址（机场）：安徽省池州市石台县可星路 671 号池州胜鸣国际机场（邮政编码：156808）。联系电话：87416400。电子邮箱：qumrh@suelzchy.airports.cn

Zhù zhǐ: Yán Téng Bǎo Ānhuī Shěng Chízhōu Shì Shí Tái Xiàn Kě Xīng Lù 671 Hào Cízōu Shēng Míng Guó Jì Jī Chǎng (Yóuzhèng Biānmǎ：156808). Liánxì Diànhuà：87416400. Diànzǐ Yóuxiāng：qumrh@suelzchy.airports.cn

Teng Bao Yan, Chizhou Sheng Ming International Airport, 671 Ke Xing Road, Shitai County, Chizhou, Anhui. Postal Code: 156808. Phone Number：87416400. E-mail：qumrh@suelzchy.airports.cn

1145。姓名: 戴钦员

住址（公共汽车站）：安徽省池州市东至县科磊路 381 号澜立站（邮政编码：200633）。联系电话：42196527。电子邮箱：tiyma@yhvenqsb.transport.cn

Zhù zhǐ: Dài Qīn Yuán Ānhuī Shěng Chízhōu Shì Dōng Zhì Xiàn Kē Lěi Lù 381 Hào Lán Lì Zhàn (Yóuzhèng Biānmǎ：200633). Liánxì Diànhuà：42196527. Diànzǐ Yóuxiāng：tiyma@yhvenqsb.transport.cn

Qin Yuan Dai, Lan Li Bus Station, 381 Ke Lei Road, Dongzhi County, Chizhou, Anhui. Postal Code: 200633. Phone Number：42196527. E-mail：tiyma@yhvenqsb.transport.cn

1146。姓名: 别中谢

住址（寺庙）：安徽省合肥市肥西县易己路 830 号易维寺（邮政编码：351913）。联系电话：91556620。电子邮箱：grfpv@wiqdzgnu.god.cn

Zhù zhǐ: Bié Zhòng Xiè Ānhuī Shěng Héféi Shì Féi Xī Xiàn Yì Jǐ Lù 830 Hào Yì Wéi Sì (Yóuzhèng Biānmǎ： 351913). Liánxì Diànhuà： 91556620. Diànzǐ Yóuxiāng： grfpv@wiqdzgnu.god.cn

Zhong Xie Bie, Yi Wei Temple, 830 Yi Ji Road, Feixi County, Hefei, Anhui. Postal Code: 351913. Phone Number： 91556620. E-mail： grfpv@wiqdzgnu.god.cn

1147。姓名: 沙维民

住址（公园）：安徽省滁州市来安县懂轼路 766 号不惟公园（邮政编码：158760）。联系电话：63627577。电子邮箱：usdgt@lingwkcr.parks.cn

Zhù zhǐ: Shā Wéi Mín Ānhuī Shěng Chúzhōu Shì Lái Ānxiàn Dǒng Shì Lù 766 Hào Bù Wéi Gōng Yuán (Yóuzhèng Biānmǎ： 158760). Liánxì Diànhuà： 63627577. Diànzǐ Yóuxiāng： usdgt@lingwkcr.parks.cn

Wei Min Sha, Bu Wei Park, 766 Dong Shi Road, Laian County, Chuzhou, Anhui. Postal Code: 158760. Phone Number： 63627577. E-mail： usdgt@lingwkcr.parks.cn

1148。姓名: 南门光茂

住址（家庭）：安徽省六安市霍山县渊风路 540 号民可公寓 1 层 275 室（邮政编码：401405）。联系电话：26412130。电子邮箱：awlsy@tkfucvxi.cn

Zhù zhǐ: Nánmén Guāng Mào Ānhuī Shěng Liù Ān Shì Huòshānxiàn Yuān Fēng Lù 540 Hào Mín Kě Gōng Yù 1 Céng 275 Shì (Yóuzhèng Biānmǎ： 401405). Liánxì Diànhuà： 26412130. Diànzǐ Yóuxiāng： awlsy@tkfucvxi.cn

Guang Mao Nanmen, Room# 275, Floor# 1, Min Ke Apartment, 540 Yuan Feng Road, Huoshan County, Luan, Anhui. Postal Code: 401405. Phone Number： 26412130. E-mail： awlsy@tkfucvxi.cn

1149。姓名: 项不铁

住址（广场）：安徽省铜陵市郊区近洵路 345 号坚白广场（邮政编码：754160）。联系电话：30943208。电子邮箱：klyma@oxwbimqu.squares.cn

Zhù zhǐ: Xiàng Bù Tiě Ānhuī Shěng Tónglíng Shì Jiāoqū Jìn Xún Lù 345 Hào Jiān Bái Guǎng Chǎng (Yóuzhèng Biānmǎ：754160). Liánxì Diànhuà：30943208. Diànzǐ Yóuxiāng：klyma@oxwbimqu.squares.cn

Bu Tie Xiang, Jian Bai Square, 345 Jin Xun Road, Jiao District, Tongling, Anhui. Postal Code: 754160. Phone Number：30943208. E-mail：klyma@oxwbimqu.squares.cn

1150。姓名: 游轼秀

住址（火车站）：安徽省阜阳市临泉县亭风路 982 号阜阳站（邮政编码：753228）。联系电话：15863872。电子邮箱：ctpye@dizrtnbh.chr.cn

Zhù zhǐ: Yóu Shì Xiù Ānhuī Shěng Fùyáng Shì Lín Quán Xiàn Tíng Fēng Lù 982 Hào Fùyáng Zhàn (Yóuzhèng Biānmǎ：753228). Liánxì Diànhuà：15863872. Diànzǐ Yóuxiāng：ctpye@dizrtnbh.chr.cn

Shi Xiu You, Fuyang Railway Station, 982 Ting Feng Road, Linquan County, Fuyang, Anhui. Postal Code: 753228. Phone Number：15863872. E-mail：ctpye@dizrtnbh.chr.cn

1151。姓名: 赫连禹领

住址（湖泊）：安徽省蚌埠市蚌山区中不路 917 号山坚湖（邮政编码：335667）。联系电话：57558655。电子邮箱：xrwjk@qvinedtr.lakes.cn

Zhù zhǐ: Hèlián Yǔ Lǐng Ānhuī Shěng Bàngbù Shì Bàng Shānqū Zhōng Bù Lù 917 Hào Shān Jiān Hú (Yóuzhèng Biānmǎ：335667). Liánxì Diànhuà：57558655. Diànzǐ Yóuxiāng：xrwjk@qvinedtr.lakes.cn

Yu Ling Helian, Shan Jian Lake, 917 Zhong Bu Road, Bangshan District, Bengbu, Anhui. Postal Code: 335667. Phone Number：57558655. E-mail：xrwjk@qvinedtr.lakes.cn

1152。姓名: 耿独勇

住址（寺庙）：安徽省宿州市埇桥区游敬路 990 号自茂寺（邮政编码：982568）。联系电话：47105280。电子邮箱：bqirc@ldgrxsbm.god.cn

Zhù zhǐ: Gěng Dú Yǒng Ānhuī Shěng Sùzhōu Shì Yǒng Qiáo Qū Yóu Jìng Lù 990 Hào Zì Mào Sì (Yóuzhèng Biānmǎ：982568). Liánxì Diànhuà：47105280. Diànzǐ Yóuxiāng：bqirc@ldgrxsbm.god.cn

Du Yong Geng, Zi Mao Temple, 990 You Jing Road, Yongqiao District, Suzhou, Anhui. Postal Code: 982568. Phone Number：47105280. E-mail：bqirc@ldgrxsbm.god.cn

1153。姓名: 侯化振

住址（公司）：安徽省铜陵市义安区圣己路 340 号石石有限公司（邮政编码：566318）。联系电话：78144429。电子邮箱：kgtri@fgcevbar.biz.cn

Zhù zhǐ: Hóu Huà Zhèn Ānhuī Shěng Tónglíng Shì Yì Ān Qū Shèng Jǐ Lù 340 Hào Dàn Dàn Yǒuxiàn Gōngsī (Yóuzhèng Biānmǎ：566318). Liánxì Diànhuà：78144429. Diànzǐ Yóuxiāng：kgtri@fgcevbar.biz.cn

Hua Zhen Hou, Dan Dan Corporation, 340 Sheng Ji Road, Yi An District, Tongling, Anhui. Postal Code: 566318. Phone Number：78144429. E-mail：kgtri@fgcevbar.biz.cn

1154。姓名: 江民世

住址（火车站）：安徽省宿州市萧县游化路 996 号宿州站（邮政编码：442804）。联系电话：43110486。电子邮箱：wrxke@rnpdqecw.chr.cn

Zhù zhǐ: Jiāng Mín Shì Ānhuī Shěng Sùzhōu Shì Xiāo Xiàn Yóu Huà Lù 996 Hào ùzōu Zhàn (Yóuzhèng Biānmǎ：442804). Liánxì Diànhuà：43110486. Diànzǐ Yóuxiāng：wrxke@rnpdqecw.chr.cn

Min Shi Jiang, Suzhou Railway Station, 996 You Hua Road, Xiao County, Suzhou, Anhui. Postal Code: 442804. Phone Number：43110486. E-mail：wrxke@rnpdqecw.chr.cn

1155。姓名: 习骥亮

住址（广场）：安徽省滁州市明光市学院路 230 号人铁广场（邮政编码：179555）。联系电话：82201351。电子邮箱：fsviz@spbztwim.squares.cn

Zhù zhǐ: Xí Jì Liàng Ānhuī Shěng Chúzhōu Shì Míngguāng Shì Xué Yuàn Lù 230 Hào Rén Yì Guǎng Chǎng (Yóuzhèng Biānmǎ：179555). Liánxì Diànhuà：82201351. Diànzǐ Yóuxiāng：fsviz@spbztwim.squares.cn

Ji Liang Xi, Ren Yi Square, 230 Xue Yuan Road, Mingguang City, Chuzhou, Anhui. Postal Code: 179555. Phone Number：82201351. E-mail：fsviz@spbztwim.squares.cn

1156。姓名: 时珏立

住址（寺庙）：安徽省滁州市定远县计辙路 785 号智珂寺（邮政编码：798333）。联系电话：20023767。电子邮箱：pruzk@urifoaeg.god.cn

Zhù zhǐ: Shí Jué Lì Ānhuī Shěng Chúzhōu Shì Dìng Yuǎn Xiàn Jì Zhé Lù 785 Hào Zhì Kē Sì (Yóuzhèng Biānmǎ：798333). Liánxì Diànhuà：20023767. Diànzǐ Yóuxiāng：pruzk@urifoaeg.god.cn

Jue Li Shi, Zhi Ke Temple, 785 Ji Zhe Road, Dingyuan County, Chuzhou, Anhui. Postal Code: 798333. Phone Number：20023767. E-mail：pruzk@urifoaeg.god.cn

1157。姓名: 钭光臻

住址（公园）：安徽省马鞍山市当涂县可福路 159 号中隆公园（邮政编码：802606）。联系电话：39027876。电子邮箱：ihlmo@igptzcya.parks.cn

Zhù zhǐ: Tǒu Guāng Zhēn Ānhuī Shěng Mǎānshān Shì Dāng Tú Xiàn Kě Fú Lù 159 Hào Zhōng Lóng Gōng Yuán (Yóuzhèng Biānmǎ: 802606). Liánxì Diànhuà: 39027876. Diànzǐ Yóuxiāng: ihlmo@igptzcya.parks.cn

Guang Zhen Tou, Zhong Long Park, 159 Ke Fu Road, Dangtu County, Maanshan, Anhui. Postal Code: 802606. Phone Number: 39027876. E-mail: ihlmo@igptzcya.parks.cn

1158。姓名: 景星石

住址（公园）：安徽省蚌埠市龙子湖区钢际路 520 号俊胜公园（邮政编码: 949216）。联系电话：49047204。电子邮箱：sroui@bxrdtesc.parks.cn

Zhù zhǐ: Jǐng Xīng Dàn Ānhuī Shěng Bàngbù Shì Lóng Zi Húqū Gāng Jì Lù 520 Hào Jùn Shēng Gōng Yuán (Yóuzhèng Biānmǎ: 949216). Liánxì Diànhuà: 49047204. Diànzǐ Yóuxiāng: sroui@bxrdtesc.parks.cn

Xing Dan Jing, Jun Sheng Park, 520 Gang Ji Road, Longzihu District, Bengbu, Anhui. Postal Code: 949216. Phone Number: 49047204. E-mail: sroui@bxrdtesc.parks.cn

1159。姓名: 牟仲澜

住址（酒店）：安徽省安庆市迎江区洵珏路 597 号珂葛酒店（邮政编码: 351399）。联系电话：41127687。电子邮箱：uqbhm@evuoznxq.biz.cn

Zhù zhǐ: Móu Zhòng Lán Ānhuī Shěng Ānqìng Shì Yíng Jiāng Qū Xún Jué Lù 597 Hào Kē Gé Jiǔ Diàn (Yóuzhèng Biānmǎ: 351399). Liánxì Diànhuà: 41127687. Diànzǐ Yóuxiāng: uqbhm@evuoznxq.biz.cn

Zhong Lan Mou, Ke Ge Hotel, 597 Xun Jue Road, Yingjiang District, Anqing, Anhui. Postal Code: 351399. Phone Number: 41127687. E-mail: uqbhm@evuoznxq.biz.cn

1160。姓名: 邬铭光

住址（寺庙）：安徽省六安市金安区稼翼路 786 号石化寺（邮政编码：723005）。联系电话：54224398。电子邮箱：uzklt@vzkrfcly.god.cn

Zhù zhǐ: Wū Míng Guāng Ānhuī Shěng Liù Ān Shì Jīn Ān Qū Jià Yì Lù 786 Hào Shí Huā Sì (Yóuzhèng Biānmǎ：723005). Liánxì Diànhuà：54224398. Diànzǐ Yóuxiāng：uzklt@vzkrfcly.god.cn

Ming Guang Wu, Shi Hua Temple, 786 Jia Yi Road, Jinan District, Luan, Anhui. Postal Code: 723005. Phone Number：54224398. E-mail：uzklt@vzkrfcly.god.cn

1161。姓名: 葛寰岐

住址（火车站）：安徽省宣城市绩溪县近全路 376 号宣城站（邮政编码：388626）。联系电话：31782810。电子邮箱：jmfus@cpuyfmbo.chr.cn

Zhù zhǐ: Gě Huán Qí Ānhuī Shěng Xuān Chéngshì Jīxī Xiàn Jìn Quán Lù 376 Hào Xuān Céngs Zhàn (Yóuzhèng Biānmǎ：388626). Liánxì Diànhuà：31782810. Diànzǐ Yóuxiāng：jmfus@cpuyfmbo.chr.cn

Huan Qi Ge, Xuancheng Railway Station, 376 Jin Quan Road, Jixi County, Xuancheng, Anhui. Postal Code: 388626. Phone Number：31782810. E-mail：jmfus@cpuyfmbo.chr.cn

1162。姓名: 熊智全

住址（寺庙）：安徽省芜湖市南陵县振锤路 543 号岐征寺（邮政编码：219021）。联系电话：56305856。电子邮箱：cxnhe@zdfhlixo.god.cn

Zhù zhǐ: Xióng Zhì Quán Ānhuī Shěng Wúhú Shì Nánlíng Xiàn Zhèn Chuí Lù 543 Hào Qí Zhēng Sì (Yóuzhèng Biānmǎ：219021). Liánxì Diànhuà：56305856. Diànzǐ Yóuxiāng：cxnhe@zdfhlixo.god.cn

Zhi Quan Xiong, Qi Zheng Temple, 543 Zhen Chui Road, Nanling County, Wuhu, Anhui. Postal Code: 219021. Phone Number：56305856. E-mail：cxnhe@zdfhlixo.god.cn

1163。姓名: 逄锤咚

住址（机场）：安徽省池州市青阳县泽稼路 227 号池州翰磊国际机场（邮政编码：949279）。联系电话：21282128。电子邮箱：vmizn@jimytxdg.airports.cn

Zhù zhǐ: Páng Chuí Dōng Ānhuī Shěng Chízhōu Shì Qīng Yáng Xiàn Zé Jià Lù 227 Hào Cízōu Hàn Lěi Guó Jì Jī Chǎng (Yóuzhèng Biānmǎ：949279). Liánxì Diànhuà：21282128. Diànzǐ Yóuxiāng：vmizn@jimytxdg.airports.cn

Chui Dong Pang, Chizhou Han Lei International Airport, 227 Ze Jia Road, Qingyang County, Chizhou, Anhui. Postal Code: 949279. Phone Number：21282128. E-mail：vmizn@jimytxdg.airports.cn

1164。姓名: 高盛民

住址（大学）：安徽省阜阳市临泉县秀黎大学冠游路 863 号（邮政编码：130484）。联系电话：92845618。电子邮箱：cmbhf@oztcknsu.edu.cn

Zhù zhǐ: Gāo Shèng Mín Ānhuī Shěng Fùyáng Shì Lín Quán Xiàn Xiù Lí DàxuéGuān Yóu Lù 863 Hào (Yóuzhèng Biānmǎ：130484). Liánxì Diànhuà：92845618. Diànzǐ Yóuxiāng：cmbhf@oztcknsu.edu.cn

Sheng Min Gao, Xiu Li University, 863 Guan You Road, Linquan County, Fuyang, Anhui. Postal Code: 130484. Phone Number：92845618. E-mail：cmbhf@oztcknsu.edu.cn

1165。姓名: 涂中陆

住址（家庭）：安徽省宿州市萧县际化路 954 号炯智公寓 27 层 572 室（邮政编码：342712）。联系电话：34082602。电子邮箱：phiwo@hqpmxdeb.cn

Zhù zhǐ: Tú Zhōng Lù Ānhuī Shěng Sùzhōu Shì Xiāo Xiàn Jì Huà Lù 954 Hào Jiǒng Zhì Gōng Yù 27 Céng 572 Shì (Yóuzhèng Biānmǎ：342712). Liánxì Diànhuà：34082602. Diànzǐ Yóuxiāng：phiwo@hqpmxdeb.cn

Zhong Lu Tu, Room# 572, Floor# 27, Jiong Zhi Apartment, 954 Ji Hua Road, Xiao County, Suzhou, Anhui. Postal Code: 342712. Phone Number：34082602. E-mail：phiwo@hqpmxdeb.cn

1166。姓名: 罗食守

住址（湖泊）：安徽省滁州市定远县可郁路 991 号近强湖（邮政编码：202618）。联系电话：84981587。电子邮箱：wqyuk@sowyixrn.lakes.cn

Zhù zhǐ: Luó Yì Shǒu Ānhuī Shěng Chúzhōu Shì Dìng Yuǎn Xiàn Kě Yù Lù 991 Hào Jìn Qiǎng Hú (Yóuzhèng Biānmǎ：202618). Liánxì Diànhuà：84981587. Diànzǐ Yóuxiāng：wqyuk@sowyixrn.lakes.cn

Yi Shou Luo, Jin Qiang Lake, 991 Ke Yu Road, Dingyuan County, Chuzhou, Anhui. Postal Code: 202618. Phone Number：84981587. E-mail：wqyuk@sowyixrn.lakes.cn

1167。姓名: 蓟刚沛

住址（火车站）：安徽省亳州市蒙城县葛国路 633 号亳州站（邮政编码：161056）。联系电话：75403157。电子邮箱：bjhvc@icxwblty.chr.cn

Zhù zhǐ: Jì Gāng Bèi Ānhuī Shěng Bózhōu Méng Chéng Xiàn Gé Guó Lù 633 Hào Bózōu Zhàn (Yóuzhèng Biānmǎ：161056). Liánxì Diànhuà：75403157. Diànzǐ Yóuxiāng：bjhvc@icxwblty.chr.cn

Gang Bei Ji, Bozhou Railway Station, 633 Ge Guo Road, Mengcheng County, Bozhou, Anhui. Postal Code: 161056. Phone Number：75403157. E-mail：bjhvc@icxwblty.chr.cn

1168。姓名: 池智石

住址（大学）：安徽省阜阳市颍上县鹤翼大学澜克路 379 号（邮政编码：812165）。联系电话：56965702。电子邮箱：gfdwk@keyqufzh.edu.cn

Zhù zhǐ: Chí Zhì Dàn Ānhuī Shěng Fùyáng Shì Yǐng Shàng Xiàn Hè Yì DàxuéLán Kè Lù 379 Hào (Yóuzhèng Biānmǎ：812165). Liánxì Diànhuà：56965702. Diànzǐ Yóuxiāng：gfdwk@keyqufzh.edu.cn

Zhi Dan Chi, He Yi University, 379 Lan Ke Road, Yingshang County, Fuyang, Anhui. Postal Code: 812165. Phone Number：56965702. E-mail：gfdwk@keyqufzh.edu.cn

1169。姓名: 乌铁俊

住址（机场）：安徽省黄山市黟县启人路 453 号黄山波屹国际机场（邮政编码：357132）。联系电话：36536636。电子邮箱：tvoej@tuqngchy.airports.cn

Zhù zhǐ: Wū Tiě Jùn Ānhuī Shěng Huángshān Shì Yī Xiàn Qǐ Rén Lù 453 Hào Huángsān Bō Yì Guó Jì Jī Chǎng (Yóuzhèng Biānmǎ：357132). Liánxì Diànhuà：36536636. Diànzǐ Yóuxiāng：tvoej@tuqngchy.airports.cn

Tie Jun Wu, Huangshan Bo Yi International Airport, 453 Qi Ren Road, Yi County, Huangshan, Anhui. Postal Code: 357132. Phone Number：36536636. E-mail：tvoej@tuqngchy.airports.cn

1170。姓名: 宗大征

住址（家庭）：安徽省亳州市蒙城县乙圣路 638 号兵独公寓 15 层 184 室（邮政编码：755685）。联系电话：65495924。电子邮箱：qsjna@kxchngdf.cn

Zhù zhǐ: Zōng Dà Zhēng Ānhuī Shěng Bózhōu Méng Chéng Xiàn Yǐ Shèng Lù 638 Hào Bīng Dú Gōng Yù 15 Céng 184 Shì (Yóuzhèng Biānmǎ：755685). Liánxì Diànhuà：65495924. Diànzǐ Yóuxiāng：qsjna@kxchngdf.cn

Da Zheng Zong, Room# 184, Floor# 15, Bing Du Apartment, 638 Yi Sheng Road, Mengcheng County, Bozhou, Anhui. Postal Code: 755685. Phone Number：65495924. E-mail：qsjna@kxchngdf.cn

CHAPTER 5: NAME, SURNAME & ADDRESSES (121-150)

1171。姓名: 边鹤亭

住址（博物院）：安徽省淮北市濉溪县兆臻路 314 号淮北博物馆（邮政编码：214910）。联系电话：80951606。电子邮箱：xujyt@remctkaf.museums.cn

Zhù zhǐ: Biān Hè Tíng Ānhuī Shěng Huáiběi Shì Suīxī Xiàn Zhào Zhēn Lù 314 Hào Huáiběi Bó Wù Guǎn (Yóuzhèng Biānmǎ：214910). Liánxì Diànhuà：80951606. Diànzǐ Yóuxiāng：xujyt@remctkaf.museums.cn

He Ting Bian, Huaibei Museum, 314 Zhao Zhen Road, Suixi County, Huaibei, Anhui. Postal Code: 214910. Phone Number：80951606. E-mail：xujyt@remctkaf.museums.cn

1172。姓名: 奚豹成

住址（公园）：安徽省蚌埠市禹会区发可路 611 号居陆公园（邮政编码：192889）。联系电话：30153122。电子邮箱：ldfra@twabzxhr.parks.cn

Zhù zhǐ: Xī Bào Chéng Ānhuī Shěng Bàngbù Shì Yǔ Huì Qū Fā Kě Lù 611 Hào Jū Lù Gōng Yuán (Yóuzhèng Biānmǎ：192889). Liánxì Diànhuà：30153122. Diànzǐ Yóuxiāng：ldfra@twabzxhr.parks.cn

Bao Cheng Xi, Ju Lu Park, 611 Fa Ke Road, Yuhui District, Bengbu, Anhui. Postal Code: 192889. Phone Number：30153122. E-mail：ldfra@twabzxhr.parks.cn

1173。姓名: 印屹龙

住址（酒店）：安徽省阜阳市颍泉区成勇路 577 号懂鹤酒店（邮政编码：723435）。联系电话：17239012。电子邮箱：byzwu@fzqrvwin.biz.cn

Zhù zhǐ: Yìn Yì Lóng Ānhuī Shěng Fùyáng Shì Yǐng Quán Qū Chéng Yǒng Lù 577 Hào Dǒng Hè Jiǔ Diàn (Yóuzhèng Biānmǎ：723435). Liánxì Diànhuà：17239012. Diànzǐ Yóuxiāng：byzwu@fzqrvwin.biz.cn

Yi Long Yin, Dong He Hotel, 577 Cheng Yong Road, Yingquan District, Fuyang, Anhui. Postal Code: 723435. Phone Number：17239012. E-mail：byzwu@fzqrvwin.biz.cn

1174。姓名: 公良铁寰

住址（酒店）：安徽省阜阳市颍上县浩珂路 201 号成珂酒店（邮政编码：220710）。联系电话：80213751。电子邮箱：gprmh@dxywgupa.biz.cn

Zhù zhǐ: Gōngliáng Tiě Huán Ānhuī Shěng Fùyáng Shì Yǐng Shàng Xiàn Hào Kē Lù 201 Hào Chéng Kē Jiǔ Diàn (Yóuzhèng Biānmǎ：220710). Liánxì Diànhuà：80213751. Diànzǐ Yóuxiāng：gprmh@dxywgupa.biz.cn

Tie Huan Gongliang, Cheng Ke Hotel, 201 Hao Ke Road, Yingshang County, Fuyang, Anhui. Postal Code: 220710. Phone Number：80213751. E-mail：gprmh@dxywgupa.biz.cn

1175。姓名: 南宫翼近

住址（博物院）：安徽省池州市青阳县奎柱路 594 号池州博物馆（邮政编码：914104）。联系电话：71894313。电子邮箱：jgdwi@upqhewis.museums.cn

Zhù zhǐ: Nángōng Yì Jìn Ānhuī Shěng Chízhōu Shì Qīng Yáng Xiàn Kuí Zhù Lù 594 Hào Cízōu Bó Wù Guǎn (Yóuzhèng Biānmǎ：914104). Liánxì Diànhuà：71894313. Diànzǐ Yóuxiāng：jgdwi@upqhewis.museums.cn

Yi Jin Nangong, Chizhou Museum, 594 Kui Zhu Road, Qingyang County, Chizhou, Anhui. Postal Code: 914104. Phone Number：71894313. E-mail：jgdwi@upqhewis.museums.cn

1176。姓名: 萧骥大

住址（大学）：安徽省马鞍山市和县振山大学乐际路 509 号（邮政编码：695164）。联系电话：43682355。电子邮箱：hbfqz@suvitbjc.edu.cn

Zhù zhǐ: Xiāo Jì Dài Ānhuī Shěng Mǎānshān Shì Hé Xiàn Zhèn Shān DàxuéLè Jì Lù 509 Hào (Yóuzhèng Biānmǎ：695164). Liánxì Diànhuà：43682355. Diànzǐ Yóuxiāng：hbfqz@suvitbjc.edu.cn

Ji Dai Xiao, Zhen Shan University, 509 Le Ji Road, And County, Maanshan, Anhui. Postal Code: 695164. Phone Number：43682355. E-mail：hbfqz@suvitbjc.edu.cn

1177。姓名: 姬龙晗

住址（寺庙）：安徽省池州市石台县兆坡路 668 号寰涛寺（邮政编码：873682）。联系电话：77531623。电子邮箱：eajvz@qaujpfwk.god.cn

Zhù zhǐ: Jī Lóng Hán Ānhuī Shěng Chízhōu Shì Shí Tái Xiàn Zhào Pō Lù 668 Hào Huán Tāo Sì (Yóuzhèng Biānmǎ：873682). Liánxì Diànhuà：77531623. Diànzǐ Yóuxiāng：eajvz@qaujpfwk.god.cn

Long Han Ji, Huan Tao Temple, 668 Zhao Po Road, Shitai County, Chizhou, Anhui. Postal Code: 873682. Phone Number：77531623. E-mail：eajvz@qaujpfwk.god.cn

1178。姓名: 柏民坤

住址（公共汽车站）：安徽省黄山市屯溪区立昌路 112 号惟独站（邮政编码：237338）。联系电话：41112850。电子邮箱：brdyo@tksevjaz.transport.cn

Zhù zhǐ: Bǎi Mín Kūn Ānhuī Shěng Huángshān Shì Tún Xī Qū Lì Chāng Lù 112 Hào Wéi Dú Zhàn (Yóuzhèng Biānmǎ：237338). Liánxì Diànhuà：41112850. Diànzǐ Yóuxiāng：brdyo@tksevjaz.transport.cn

Min Kun Bai, Wei Du Bus Station, 112 Li Chang Road, Tunxi District, Huangshan, Anhui. Postal Code: 237338. Phone Number：41112850. E-mail：brdyo@tksevjaz.transport.cn

1179。姓名: 荣福陶

住址（火车站）：安徽省淮南市寿县超阳路 537 号淮南站（邮政编码：585644）。联系电话：88712265。电子邮箱：arqvc@laukwvrq.chr.cn

Zhù zhǐ: Róng Fú Táo Ānhuī Shěng Huáinán Shì Shòu Xiàn Chāo Yáng Lù 537 Hào Huáinán Zhàn (Yóuzhèng Biānmǎ：585644). Liánxì Diànhuà：88712265. Diànzǐ Yóuxiāng：arqvc@laukwvrq.chr.cn

Fu Tao Rong, Huainan Railway Station, 537 Chao Yang Road, Shou County, Huainan, Anhui. Postal Code: 585644. Phone Number：88712265. E-mail：arqvc@laukwvrq.chr.cn

1180。姓名: 后庆洵

住址（寺庙）：安徽省池州市东至县龙铭路 351 号近福寺（邮政编码：113803）。联系电话：23480503。电子邮箱：uqoeb@lrgskxub.god.cn

Zhù zhǐ: Hòu Qìng Xún Ānhuī Shěng Chízhōu Shì Dōng Zhì Xiàn Lóng Míng Lù 351 Hào Jìn Fú Sì (Yóuzhèng Biānmǎ：113803). Liánxì Diànhuà：23480503. Diànzǐ Yóuxiāng：uqoeb@lrgskxub.god.cn

Qing Xun Hou, Jin Fu Temple, 351 Long Ming Road, Dongzhi County, Chizhou, Anhui. Postal Code: 113803. Phone Number：23480503. E-mail：uqoeb@lrgskxub.god.cn

1181。姓名: 生世翼

住址（广场）：安徽省蚌埠市禹会区钦铭路 614 号铁大广场（邮政编码：423742）。联系电话：13521180。电子邮箱：boazt@qubijzrp.squares.cn

Zhù zhǐ: Shēng Shì Yì Ānhuī Shěng Bàngbù Shì Yǔ Huì Qū Qīn Míng Lù 614 Hào Tiě Dà Guǎng Chǎng (Yóuzhèng Biānmǎ：423742). Liánxì Diànhuà：13521180. Diànzǐ Yóuxiāng：boazt@qubijzrp.squares.cn

Shi Yi Sheng, Tie Da Square, 614 Qin Ming Road, Yuhui District, Bengbu, Anhui. Postal Code: 423742. Phone Number：13521180. E-mail：boazt@qubijzrp.squares.cn

1182。姓名: 毕腾全

住址（湖泊）：安徽省淮南市大通区智启路 739 号歧沛湖（邮政编码：945035）。联系电话：28393061。电子邮箱：aresw@jgbfcdzo.lakes.cn

Zhù zhǐ: Bì Téng Quán Ānhuī Shěng Huáinán Shì Dàtōng Qū Zhì Qǐ Lù 739 Hào Qí Bèi Hú (Yóuzhèng Biānmǎ：945035). Liánxì Diànhuà：28393061. Diànzǐ Yóuxiāng：aresw@jgbfcdzo.lakes.cn

Teng Quan Bi, Qi Bei Lake, 739 Zhi Qi Road, Datong District, Huainan, Anhui. Postal Code: 945035. Phone Number：28393061. E-mail：aresw@jgbfcdzo.lakes.cn

1183。姓名: 欧阳圣食

住址（博物院）：安徽省滁州市凤阳县宝进路 287 号滁州博物馆（邮政编码：424953）。联系电话：86737701。电子邮箱：zwsdh@fehvqkpw.museums.cn

Zhù zhǐ: Ōuyáng Shèng Sì Ānhuī Shěng Chúzhōu Shì Fèng Yáng Xiàn Bǎo Jìn Lù 287 Hào Cúzōu Bó Wù Guǎn (Yóuzhèng Biānmǎ：424953). Liánxì Diànhuà：86737701. Diànzǐ Yóuxiāng：zwsdh@fehvqkpw.museums.cn

Sheng Si Ouyang, Chuzhou Museum, 287 Bao Jin Road, Fengyang County, Chuzhou, Anhui. Postal Code: 424953. Phone Number：86737701. E-mail：zwsdh@fehvqkpw.museums.cn

1184。姓名: 乐中涛

住址（酒店）：安徽省安庆市宿松县岐兆路 599 号陶易酒店（邮政编码：764773）。联系电话：93873926。电子邮箱：jtiwg@ndxwarpc.biz.cn

Zhù zhǐ: Yuè Zhòng Tāo Ānhuī Shěng Ānqìng Shì Sù Sōng Xiàn Qí Zhào Lù 599 Hào Táo Yì Jiǔ Diàn (Yóuzhèng Biānmǎ：764773). Liánxì Diànhuà：93873926. Diànzǐ Yóuxiāng：jtiwg@ndxwarpc.biz.cn

Zhong Tao Yue, Tao Yi Hotel, 599 Qi Zhao Road, Susong County, Anqing, Anhui. Postal Code: 764773. Phone Number：93873926. E-mail：jtiwg@ndxwarpc.biz.cn

1185。姓名: 赖化圣

住址（机场）：安徽省阜阳市颍泉区稼冠路 261 号阜阳茂轶国际机场（邮政编码：505063）。联系电话：83373679。电子邮箱：jeuwv@hyputqif.airports.cn

Zhù zhǐ: Lài Huā Shèng Ānhuī Shěng Fùyáng Shì Yǐng Quán Qū Jià Guān Lù 261 Hào Fùyáng Mào Yì Guó Jì Jī Chǎng（Yóuzhèng Biānmǎ：505063). Liánxì Diànhuà：83373679. Diànzǐ Yóuxiāng：jeuwv@hyputqif.airports.cn

Hua Sheng Lai, Fuyang Mao Yi International Airport, 261 Jia Guan Road, Yingquan District, Fuyang, Anhui. Postal Code: 505063. Phone Number：83373679. E-mail：jeuwv@hyputqif.airports.cn

1186。姓名: 鲍尚黎

住址（酒店）：安徽省合肥市瑶海区钊尚路 682 号楚陆酒店（邮政编码：686709）。联系电话：98271942。电子邮箱：whfmd@rsukcbot.biz.cn

Zhù zhǐ: Bào Shàng Lí Ānhuī Shěng Héféi Shì Yáo Hǎiqū Zhāo Shàng Lù 682 Hào Chǔ Liù Jiǔ Diàn（Yóuzhèng Biānmǎ：686709). Liánxì Diànhuà：98271942. Diànzǐ Yóuxiāng：whfmd@rsukcbot.biz.cn

Shang Li Bao, Chu Liu Hotel, 682 Zhao Shang Road, Yaohai District, Hefei, Anhui. Postal Code: 686709. Phone Number：98271942. E-mail：whfmd@rsukcbot.biz.cn

1187。姓名: 严乙游

住址（大学）：安徽省安庆市太湖县兵大大学泽咚路 509 号（邮政编码：892822）。联系电话：39635228。电子邮箱：nsbxe@orevwgpm.edu.cn

Zhù zhǐ: Yán Yǐ Yóu Ānhuī Shěng Ānqìng Shì Tàihú Xiàn Bīng Dà DàxuéZé Dōng Lù 509 Hào (Yóuzhèng Biānmǎ：892822). Liánxì Diànhuà：39635228. Diànzǐ Yóuxiāng：nsbxe@orevwgpm.edu.cn

Yi You Yan, Bing Da University, 509 Ze Dong Road, Taihu County, Anqing, Anhui. Postal Code: 892822. Phone Number：39635228. E-mail：nsbxe@orevwgpm.edu.cn

1188。姓名: 宗政立鹤

住址（博物院）：安徽省马鞍山市花山区顺世路 138 号马鞍山博物馆（邮政编码：502400）。联系电话：38263858。电子邮箱：usdat@mqjrblwy.museums.cn

Zhù zhǐ: Zōngzhèng Lì Hè Ānhuī Shěng Mǎānshān Shì Huā Shānqū Shùn Shì Lù 138 Hào Mǎānsān Bó Wù Guǎn (Yóuzhèng Biānmǎ：502400). Liánxì Diànhuà：38263858. Diànzǐ Yóuxiāng：usdat@mqjrblwy.museums.cn

Li He Zongzheng, Maanshan Museum, 138 Shun Shi Road, Huashan District, Maanshan, Anhui. Postal Code: 502400. Phone Number：38263858. E-mail：usdat@mqjrblwy.museums.cn

1189。姓名: 董寰鹤

住址（机场）：安徽省铜陵市郊区歧自路 358 号铜陵涛懂国际机场（邮政编码：806902）。联系电话：32201163。电子邮箱：zorbe@ipbusyga.airports.cn

Zhù zhǐ: Dǒng Huán Hè Ānhuī Shěng Tónglíng Shì Jiāoqū Qí Zì Lù 358 Hào Tónglíng Tāo Dǒng Guó Jì Jī Chǎng (Yóuzhèng Biānmǎ：806902). Liánxì Diànhuà：32201163. Diànzǐ Yóuxiāng：zorbe@ipbusyga.airports.cn

Huan He Dong, Tongling Tao Dong International Airport, 358 Qi Zi Road, Jiao District, Tongling, Anhui. Postal Code: 806902. Phone Number：32201163. E-mail：zorbe@ipbusyga.airports.cn

1190。姓名: 白源食

住址（公共汽车站）：安徽省蚌埠市蚌山区超奎路 948 号歧圣站（邮政编码：241369）。联系电话：56221432。电子邮箱：nzerk@vxldimjq.transport.cn

Zhù zhǐ: Bái Yuán Shí Ānhuī Shěng Bàngbù Shì Bàng Shānqū Chāo Kuí Lù 948 Hào Qí Shèng Zhàn (Yóuzhèng Biānmǎ：241369). Liánxì Diànhuà：56221432. Diànzǐ Yóuxiāng：nzerk@vxldimjq.transport.cn

Yuan Shi Bai, Qi Sheng Bus Station, 948 Chao Kui Road, Bangshan District, Bengbu, Anhui. Postal Code: 241369. Phone Number：56221432. E-mail：nzerk@vxldimjq.transport.cn

1191。姓名: 田晖屹

住址（机场）：安徽省铜陵市义安区发化路 697 号铜陵世勇国际机场（邮政编码：186852）。联系电话：41454661。电子邮箱：idcno@xgecrkza.airports.cn

Zhù zhǐ: Tián Huī Yì Ānhuī Shěng Tónglíng Shì Yì Ān Qū Fā Huà Lù 697 Hào Tónglíng Shì Yǒng Guó Jì Jī Chǎng (Yóuzhèng Biānmǎ：186852). Liánxì Diànhuà：41454661. Diànzǐ Yóuxiāng：idcno@xgecrkza.airports.cn

Hui Yi Tian, Tongling Shi Yong International Airport, 697 Fa Hua Road, Yi An District, Tongling, Anhui. Postal Code: 186852. Phone Number：41454661. E-mail：idcno@xgecrkza.airports.cn

1192。姓名: 伯学民

住址（寺庙）：安徽省亳州市蒙城县坡稼路 676 号铁化寺（邮政编码：408410）。联系电话：56014268。电子邮箱：jcaqg@qxnzhlfs.god.cn

Zhù zhǐ: Bó Xué Mín Ānhuī Shěng Bózhōu Méng Chéng Xiàn Pō Jià Lù 676 Hào Tiě Huā Sì (Yóuzhèng Biānmǎ：408410). Liánxì Diànhuà：56014268. Diànzǐ Yóuxiāng：jcaqg@qxnzhlfs.god.cn

Xue Min Bo, Tie Hua Temple, 676 Po Jia Road, Mengcheng County, Bozhou, Anhui. Postal Code: 408410. Phone Number：56014268. E-mail：jcaqg@qxnzhlfs.god.cn

1193。姓名: 耿臻红

住址（大学）：安徽省池州市东至县食宽大学独晖路 878 号（邮政编码：686810）。联系电话：81638695。电子邮箱：xplns@tzvminxh.edu.cn

Zhù zhǐ: Gěng Zhēn Hóng Ānhuī Shěng Chízhōu Shì Dōng Zhì Xiàn Yì Kuān DàxuéDú Huī Lù 878 Hào (Yóuzhèng Biānmǎ：686810). Liánxì Diànhuà：81638695. Diànzǐ Yóuxiāng：xplns@tzvminxh.edu.cn

Zhen Hong Geng, Yi Kuan University, 878 Du Hui Road, Dongzhi County, Chizhou, Anhui. Postal Code: 686810. Phone Number：81638695. E-mail：xplns@tzvminxh.edu.cn

1194。姓名: 裴大中

住址（公园）：安徽省六安市舒城县国继路 576 号晖陶公园（邮政编码：413748）。联系电话：14758043。电子邮箱：pevqr@juaoyivz.parks.cn

Zhù zhǐ: Péi Dài Zhòng Ānhuī Shěng Liù Ān Shì Shū Chéng Xiàn Guó Jì Lù 576 Hào Huī Táo Gōng Yuán (Yóuzhèng Biānmǎ：413748). Liánxì Diànhuà：14758043. Diànzǐ Yóuxiāng：pevqr@juaoyivz.parks.cn

Dai Zhong Pei, Hui Tao Park, 576 Guo Ji Road, Shucheng County, Luan, Anhui. Postal Code: 413748. Phone Number：14758043. E-mail：pevqr@juaoyivz.parks.cn

1195。姓名: 莘食食

住址（湖泊）：安徽省安庆市宜秀区先石路 349 号智沛湖（邮政编码：166749）。联系电话：93349680。电子邮箱：vkwgp@upnjlaxq.lakes.cn

Zhù zhǐ: Shēn Sì Yì Ānhuī Shěng Ānqìng Shì Yí Xiù Qū Xiān Dàn Lù 349 Hào Zhì Bèi Hú (Yóuzhèng Biānmǎ：166749). Liánxì Diànhuà：93349680. Diànzǐ Yóuxiāng：vkwgp@upnjlaxq.lakes.cn

Si Yi Shen, Zhi Bei Lake, 349 Xian Dan Road, Yixiu District, Anqing, Anhui. Postal Code: 166749. Phone Number：93349680. E-mail：vkwgp@upnjlaxq.lakes.cn

1196。姓名: 尉迟斌近

住址（大学）：安徽省淮北市相山区彬维大学圣铭路 499 号（邮政编码：647379）。联系电话：52730883。电子邮箱：pzgxl@efpkqnbr.edu.cn

Zhù zhǐ: Yùchí Bīn Jìn Ānhuī Shěng Huáiběi Shì Xiāng Shānqū Bīn Wéi DàxuéShèng Míng Lù 499 Hào (Yóuzhèng Biānmǎ：647379). Liánxì Diànhuà：52730883. Diànzǐ Yóuxiāng：pzgxl@efpkqnbr.edu.cn

Bin Jin Yuchi, Bin Wei University, 499 Sheng Ming Road, Xiangshan District, Huaibei, Anhui. Postal Code: 647379. Phone Number：52730883. E-mail：pzgxl@efpkqnbr.edu.cn

1197。姓名: 彭铁咚

住址（公共汽车站）：安徽省宣城市广德市毅秀路 522 号浩译站（邮政编码：531589）。联系电话：38388536。电子邮箱：ahrdu@fgcdnwlr.transport.cn

Zhù zhǐ: Péng Fū Dōng Ānhuī Shěng Xuān Chéngshì Guǎng Dé Shì Yì Xiù Lù 522 Hào Hào Yì Zhàn (Yóuzhèng Biānmǎ：531589). Liánxì Diànhuà：38388536. Diànzǐ Yóuxiāng：ahrdu@fgcdnwlr.transport.cn

Fu Dong Peng, Hao Yi Bus Station, 522 Yi Xiu Road, Guangde City, Xuancheng, Anhui. Postal Code: 531589. Phone Number：38388536. E-mail：ahrdu@fgcdnwlr.transport.cn

1198。姓名: 闫独院

住址（湖泊）：安徽省池州市石台县辉乙路 153 号威楚湖（邮政编码：117919）。联系电话：19029564。电子邮箱：uidvj@urzflpid.lakes.cn

Zhù zhǐ: Yán Dú Yuàn Ānhuī Shěng Chízhōu Shì Shí Tái Xiàn Huī Yǐ Lù 153 Hào Wēi Chǔ Hú（Yóuzhèng Biānmǎ：117919). Liánxì Diànhuà：19029564. Diànzǐ Yóuxiāng：uidvj@urzflpid.lakes.cn

Du Yuan Yan, Wei Chu Lake, 153 Hui Yi Road, Shitai County, Chizhou, Anhui. Postal Code: 117919. Phone Number：19029564. E-mail：uidvj@urzflpid.lakes.cn

1199。姓名: 劳发民

住址（寺庙）：安徽省池州市青阳县炯骥路 410 号冠红寺（邮政编码：114353）。联系电话：57648637。电子邮箱：mjxni@gntvkyla.god.cn

Zhù zhǐ: Láo Fā Mín Ānhuī Shěng Chízhōu Shì Qīng Yáng Xiàn Jiǒng Jì Lù 410 Hào Guān Hóng Sì（Yóuzhèng Biānmǎ：114353). Liánxì Diànhuà：57648637. Diànzǐ Yóuxiāng：mjxni@gntvkyla.god.cn

Fa Min Lao, Guan Hong Temple, 410 Jiong Ji Road, Qingyang County, Chizhou, Anhui. Postal Code: 114353. Phone Number：57648637. E-mail：mjxni@gntvkyla.god.cn

1200。姓名: 洪翰宝

住址（湖泊）：安徽省宿州市砀山县智铁路 898 号跃大湖（邮政编码：276707）。联系电话：21429270。电子邮箱：yrbgc@lzcngsqr.lakes.cn

Zhù zhǐ: Hóng Hàn Bǎo Ānhuī Shěng Sùzhōu Shì Dàngshān Xiàn Zhì Yì Lù 898 Hào Yuè Dài Hú（Yóuzhèng Biānmǎ：276707). Liánxì Diànhuà：21429270. Diànzǐ Yóuxiāng：yrbgc@lzcngsqr.lakes.cn

Han Bao Hong, Yue Dai Lake, 898 Zhi Yi Road, Dangshan County, Suzhou, Anhui. Postal Code: 276707. Phone Number：21429270. E-mail：yrbgc@lzcngsqr.lakes.cn

Milton Keynes UK
Ingram Content Group UK Ltd.
UKHW050743271123
433341UK00017B/1131